わかった！運がよくなるコツ

ウソだと思ったら、ためしてみよう

浅見 帆帆子

廣済堂出版

まえがき

良いことだけにかこまれて、楽しく、楽に生きる、本当は簡単なことなんです。

自分のまわりに起こることは、良いことも悪いこともすべて自分が決めていることで、偶然はないのですから…。

わかった！運がよくなるコツ――もくじ

プロローグ

まずはこれをチェックしよう！

自分のまわりに起こることは、全部その人の精神レベルで決まります —— 14
精神レベルってなに？ —— 16
精神レベルを上げる方法 —— 21
みなさまの質問におこたえして… —— 27

第1章——毎日の暮らし編

なんでもうまくいかせるには!?

どうすれば運のいい人になれるのですか？（初級バージョン） —— 30
「プラス思考をすると運が良くなる」って、どういうことですか？ —— 35

運が良くなると、どんなことが起こるのですか？——37
どうすれば運のいい人になれるのですか？（上級バージョン）——42
マイナスのことを考えるといけないのはなぜですか？——48
なにかが起こるとすぐ不安になります。
どうすれば心配せずに前へ進めますか？——52
「願い続けていれば、いつかはかなう」って本当ですか？——58
「紙に書くと願いがかないやすい」って本当ですか？——63
「言霊」ってなんですか？——65
同じように願っていても、
かなう人とかなわない人がいるのはなぜですか？——70
「すべてのことには意味がある」って本当ですか？——73
「すべてのことはプラスです」ってどういうことですか？——78

不幸が幸せに感じられる考え方はありますか？——84

腹が立った時はどうすればいいですか？——84

「直感を信じて行動しなさい」ってどういうことですか？——88

うまくいかない時、なにもしたくない時、
なんとなく元気が出ない時はどうすればいいですか？——94

どうすればタイミングをつかめる人になれますか？——98

「自然の流れにまかせたほうがうまくいく」ってどういうことですか？——102

「わがままに生きていい」「頑張らなくてもうまくいく」

って本当ですか？——109

迷った時はどうすればいいですか？——112

嫌なことはやめてしまっていいんですか？——117

第2章――恋愛編

出会いも自分で決められる！

結婚前の今こそ精神レベルを上げよう！――この章を読む前に――122
いい人、素敵な人とめぐりあうにはどうしたらいいですか？――126
新しい出会いがいつなのか知りたいのですが…――126
「縁」ってなんですか？――130
「縁のある人」って、なにか意味があるんですか？――130
恋は偶然から起きるものですか？――135
「運命の人」っているんですか？　どうしたらわかるんですか？――138
今つき合っている人が運命の人かどうか知りたいのですが…――138
好きな人と結婚すれば幸せになれるのですか？――142

どうして恋には終わりがあるのですか？ ―― 142
片思いが楽に感じる考え方、失恋から立ち直る考え方はありますか？ ―― 146
気持ちを伝えるにはどうすればいいですか？ ―― 152
好きな人の前だと緊張してしまいます ―― 152
好きなのに素直になれないのはなぜですか？ ―― 152
恋人がいる彼を好きになってしまったら、どうすればいいですか？ ―― 156

第3章――友だち・人間関係編
苦手な人はいなくなる！

人と人が知り合うのには、なにか意味がありますか？ ―― 162
自分は人からどう見られているか知りたいのですが… ―― 162

誰とでも仲良くしたいのですが、どうしても苦手な人がいます——167
人間関係で悩んでしまうのはなぜですか?——167
苦手な人と上手につき合うコツを教えてください——173
人を許すにはどうしたらいいですか?——176
毎日が単調でつまらないのはなぜですか?——178
考えすぎてしまって行動にうつせません、どうしたらいいですか?——183
引っ込み思案をなおすにはどうしたらいいですか?——183
「日常生活こそ、本番なんだ」——あとがきにかえて——187

カバー・本文イラスト――浅見帆帆子

わかった！運がよくなるコツ

プロローグ

まずはこれをチェックしよう！

自分のまわりに起こることは、全部その人の精神レベルで決まります

あなたのまわりに、こんな人はいませんか。

- ●運のいい人
- ●タイミングのいい人
- ●チャンスをつかめる人
- ●なにをやってもうまくいく人
- ●知らない間に成功している人
- ●悩みもなく、心も豊かになんでもそろって幸せに暮らしている人

誰でもこういう人になれるのです。

自分のまわりに起こることは、すべて、自分の精神レベルによって決まるからです。

精神レベルの高い人には、運のいいことがたくさん起こります。

精神レベルを上げさえすれば良いことしか起こらなくなるし、

「なんでこうなっちゃったんだろう」

「わたしばっかり嫌なことが起こる」

ということはいっさいなくなるのです。

運の良い悪いは、はじめから決まっていることではありません。

自分のまわりに起こることは、良いことも悪いこともすべて自分が決められるのです。

精神レベルってなに？

精神レベルというのは、生まれや育ち、家庭環境、性格、学校、職業などにはまったく関係ありません。

その人の「意識のレベル」を指すものです。**心のレベルです。**

今のあなたがうらやましいと感じるような人は、あなたより精神レベルの高い人たちです。

精神レベルが高くなるような考え方で暮らしているから、ラッキーなことばかりが集まってくる、その人たちが特別に恵まれているのではなくて、運を引き寄せる心の体質になっているのです。

精神レベルを絵で表すとしたら、こんな感じです。

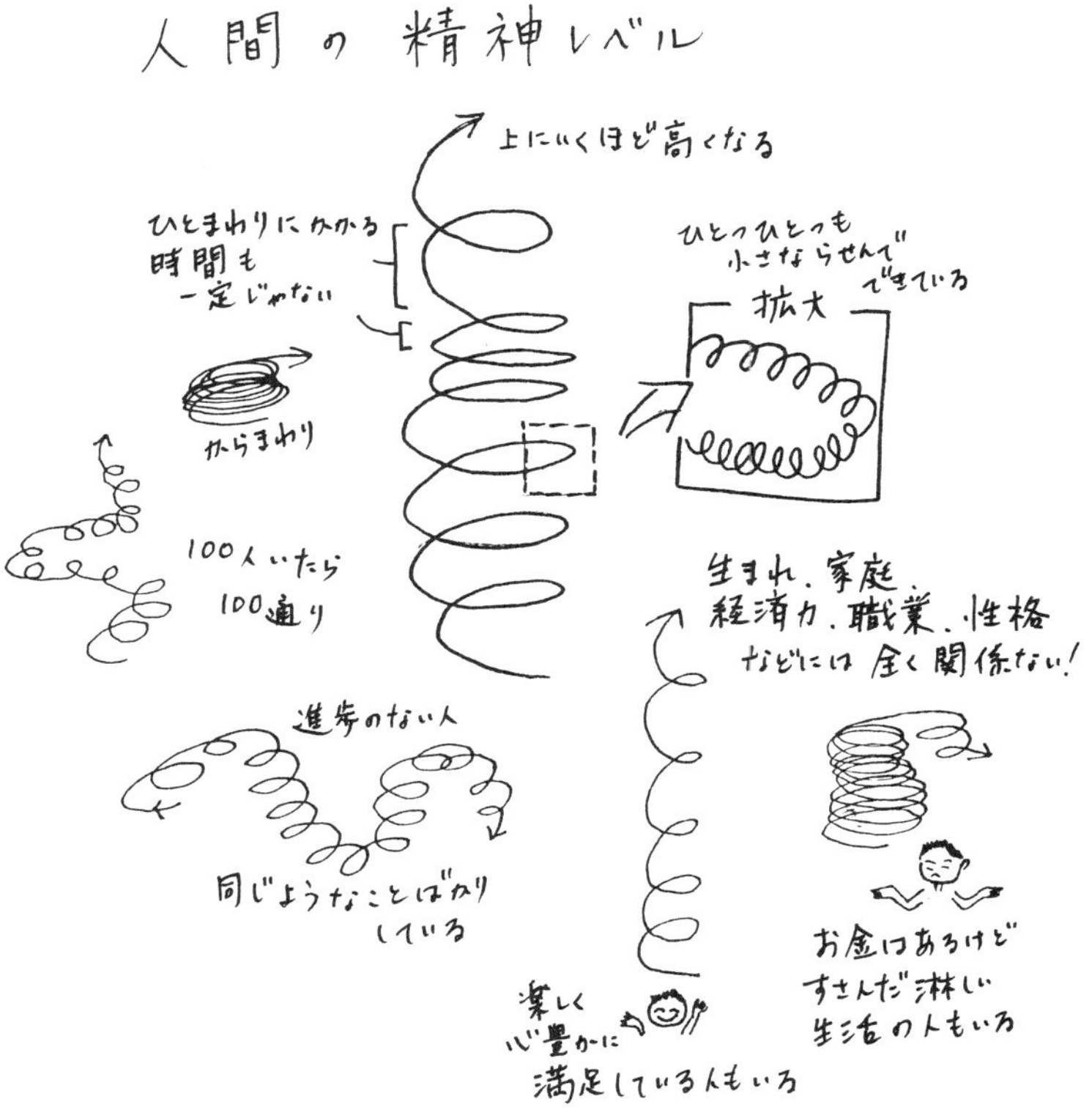
人間の精神レベル
上にいくほど高くなる
ひとまわりにかかる
時間も
一定じゃない
ひとつひとつも
小さならせんで
できている
拡大
からまわり
100人いたら
100通り
生まれ、家庭、
経済力、職業、性格
などには全く関係ない!
進歩のない人
同じようなことばかり
している
楽しく
心豊かに
満足している人もいる
お金はあるけど
すさんだ淋しい
生活の人もいる

ひとりひとりにグルグルまわっているらせんがあり、限りなく上に上がることができるし、下も際限なくあります。

らせんの上のほうにいる人は、運のいいことがたくさん起こる、タイミングよくスルスルとことが運ぶ幸せな人です。なにかに成功して、心も経済的にも豊かに幸せに過ごしているでしょう。

下にいる人は、いつもトラブルに巻き込まれていたり、悩みがあったり、かなえたいことがなんだか思うようにいかない人です。

同じような高さのレベルにいる人同士は、似たような生活をしています。

環境は違っても、心の豊かさや満足感は似ているし、交友範囲まで重なっている時があります。

らせんの上にいる人が下にいる人と知り合ったり、関係することはあまりありません。

起こることも、人づき合いも、だいたい同じレベル同士の中で動いているのです。

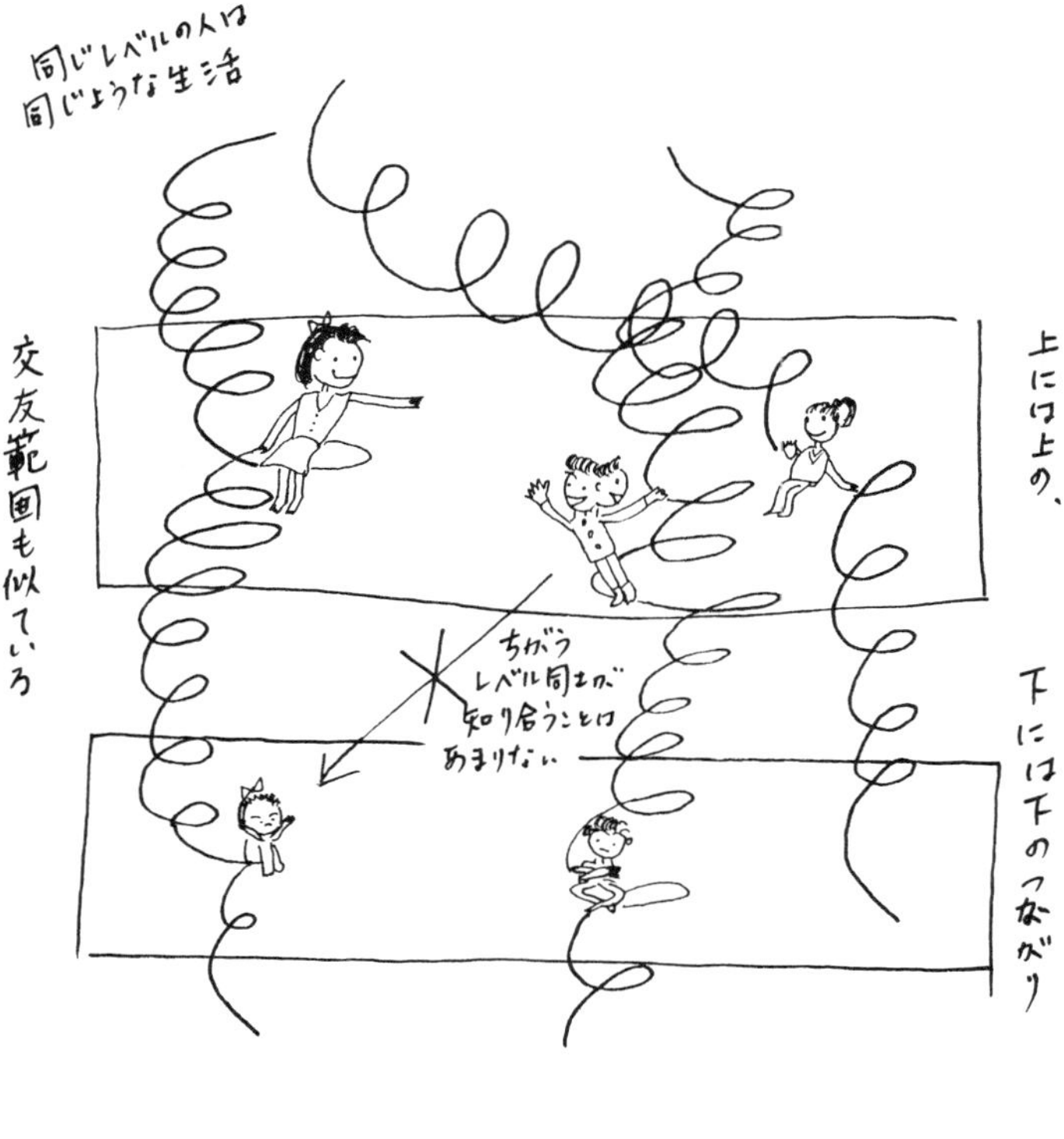
同じレベルの人は
同じような生活
交友範囲も似ている
上には上の、
下には下のつながり
ちがう
レベル同士が
知り合うことは
あまりない

大切なのは、この精神レベルのらせんは生まれた時から決まっていることではなくて、うれしいことに、自分の心や意識ひとつでいくらでも上にのぼれるということです。

精神レベルを上げる方法

精神レベルの高い人たちには共通点があります。

みんな心の中が「プラスのパワー」でいっぱいなのです。

精神レベルの高さは、「プラスのパワーの量」とも言えます。

この「プラスのパワー」を心の中にたくさんためると、自分にとって都合の良いことしか起こらなくなるし、トラブルにも巻き込まれなくなるし、悩みや不満もなくなっていくのです。

「プラスのパワー」は、日常生活の中で簡単につくることができます。

例えば、世間一般的に「良い行《おこな》い」と言われていることは、みんなプラスのパワーにつながります。

●まわりの人に親切にする
●小さなことにイライラしない
●いつも笑顔で過ごす
●素直になる
●その時、目の前にあることを一生懸命やる
●行いを良くする
●自分の行いを振り返る

精神レベルの高い人たちは、無意識のうちにこれを実行しています。
堅苦《かた》しく考えなくても、今の自分が思いつく小さなことでいいのです。
例えば、人間関係についていてだったら、

●まわりの人に笑顔であいさつする
●たまには早く帰って家族と一緒にご飯を食べる

- **たまには兄弟や子供や、一緒に住んでいる人と話す時間をつくる**
- **たまには祖父母《そふぼ》の家を訪ねてみる**
- **たまには上司の長話につき合ってあげる**
- **お姑《しゅうとめ》さんに優しい言葉をかけてみる**
- **いつもそばにいる友だちに「ありがとう」と感謝する**

いつもの自分より、少しまわりの人に寛大《かんだい》になるということです。「ちょっと良いことしたな」と思う程度でもいいのです。

そうしていると、自分のまわりに運のいいこと、ラッキーなことが不思議なくらいどんどん起こるようになります。

ためしに、行いに気をつけることをいくつか（ひとつでもいいから）決めて、徹底的にそれを意識して生活してみてください。

早い人だと、２週間ぐらいで生活が変わったことに気づくはずですよ。

自分が良い行いをすることと、運が良くなることとはなんの関係もなさそうなので

すぐできる
わたしの ためかた
人に
礼儀正しくする
身のまわりを
きれいに
うわさ話はやめる
でね
あの人はね
〜らしいよ
特に人のことは…

すが、これが「プラスのパワー」の不思議なところです。

自分の生活の一部分でためたプラスのパワーは、それとは直接関係ないことにも影響を与えるのです。だから、人間関係に注意したから人間関係でラッキーなことが起こる、ということではありません。どんな分野にも効果があります。

ウソだと思ったら、まずはためしてみてください。

プラスのパワーがたまっているかどうかのポイントは、とにかく、自分の心がすがすがしく良い気分になっているかどうかです。

例えば先ほど「世間一般に良いことをするとプラスのパワーがたまる」と書いたのも、あのようなことをひとつでもすると、「今日はいいことしたなあ」と気分が良くなりますよね。良いことをして心が暗くなる人はいませんよね。

良いことをすると自分の心が明るくなる、だからプラスのパワーが増えるのです。

みなさまの質問におこたえして…

以下からの章は、みなさまから寄せられた質問にお答えする形式をとっていますが、すべての解決策の根底は、「自分の精神レベルを上げる」ことです。

「まずはこれをチェックしよう！」（13ページ～）のところを思い返しながら読んでください。

精神レベルを上げさえすれば、解決しない問題や悩みはありません。

第1章

毎日の暮らし編

なんでもうまくいかせるには!?

どうすれば運のいい人になれるのですか？・（初級バージョン）

運のいい人は、一言《ひとこと》でいうと「精神レベルの高い人」です。

精神レベルを上げるには、「プラスのパワー」をつくることです。

心の中を、いつも明るく楽しく維持しておくことです。


好きなことをやっている時に気分が明るいのは当然です。

問題は、予想していなかったハプニングが起きた時ですよね。

運のいい人になる初級バージョンは、「毎日の生活で起こるちょっとしたハプニングを、どうとらえるか」にかかっています。


毎日の小さなイライラを減らすだけで、プラスのパワーはどんどん増えていくのです。

誰にでも起こりそうな小さなことのとらえ方ひとつが、その人を運の良い人にするか悪い人にするかを左右しているのです。

例えば、会社や学校に行く時に電車がとまってしまったところを想像してください。

「朝の急いでいる時に本当に迷惑、もう一本前のに乗ればよかった…」

とイライラする人はたくさんいるでしょう。

でも、こういう人もいます。

「自分が寝坊したわけじゃないんだし、電車がとまったのはわたしのせいではない」

と思って、いつも通りに過ごす人です。

こういう人は、「とまっている間《あいだ》に読みかけの本が全部読めてちょうどよかった」と思うだろうし、普段は見ない車内の広告を眺めてみたりするでしょう。居眠りの続きだってできるし、考えごともできますよね。「時間がずれたから、駅で久しぶりの誰かに会ったりして」なんて思ったりします。

こういう人にとっては「嫌なことが起こった」という感覚はないので、いつも通りの一日が始まります。

会社帰りに「電車の広告に載っていたあの雑誌を買って帰ろうかな」と思ったりして、

電車がとまったことを無駄にしていないんですよね。
起こっていることは同じです。
運のいい人は、100パーセント後者の考え方をしています。
一事が万事、こういう小さな違いが先に進めば成功者と失敗者の差にまでなるのです。

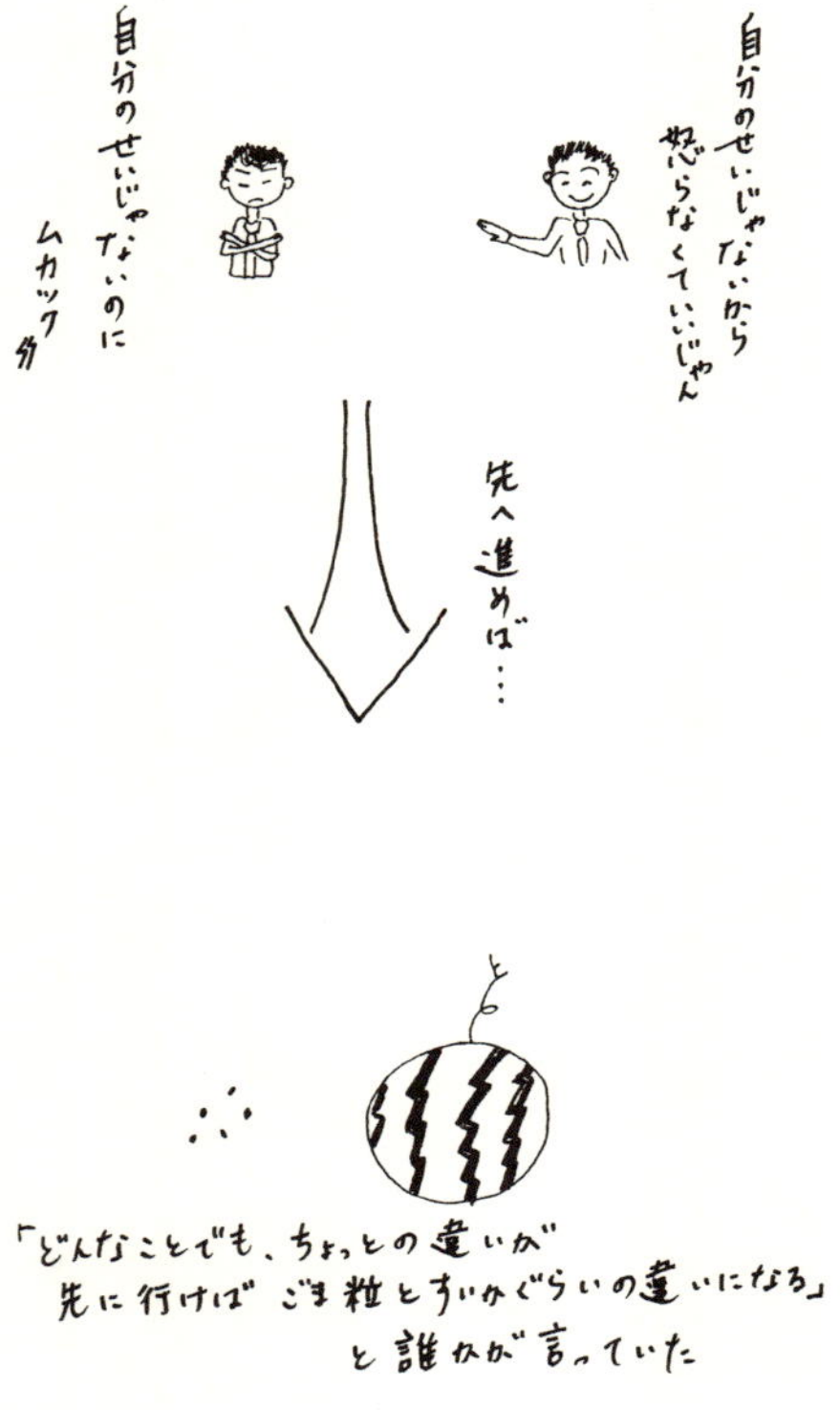
自分のせいじゃないから
怒らなくていいじゃん
自分のせいじゃないのに
ムカツク
先へ進めば…
「どんなことでも、ちょっとの違いが
先に行けば ごま粒とすいかぐらいの違いになる」
と誰かが言っていた

友だち４人とレストランで待ち合わせをしていた時、約束の時間を30分過ぎてもあとひとりがそろいません。

Ａ「連絡もなしに、本当に非常識よね。こっちはオーダーしないで待ってるんだから。あの人って昔からそういうところがあるのよ」

Ｂ「連絡がないってことは、連絡できない状況なのよ。ゆっくり話ができていいじゃない？」

この違いです。

精神レベルの高い人は、小さなことにイライラしません。

レベルがかけ離れている人同士では、精神レベルの低い人が腹を立てていることを、精神レベルの高い人は理解できない、ということにまでなります。

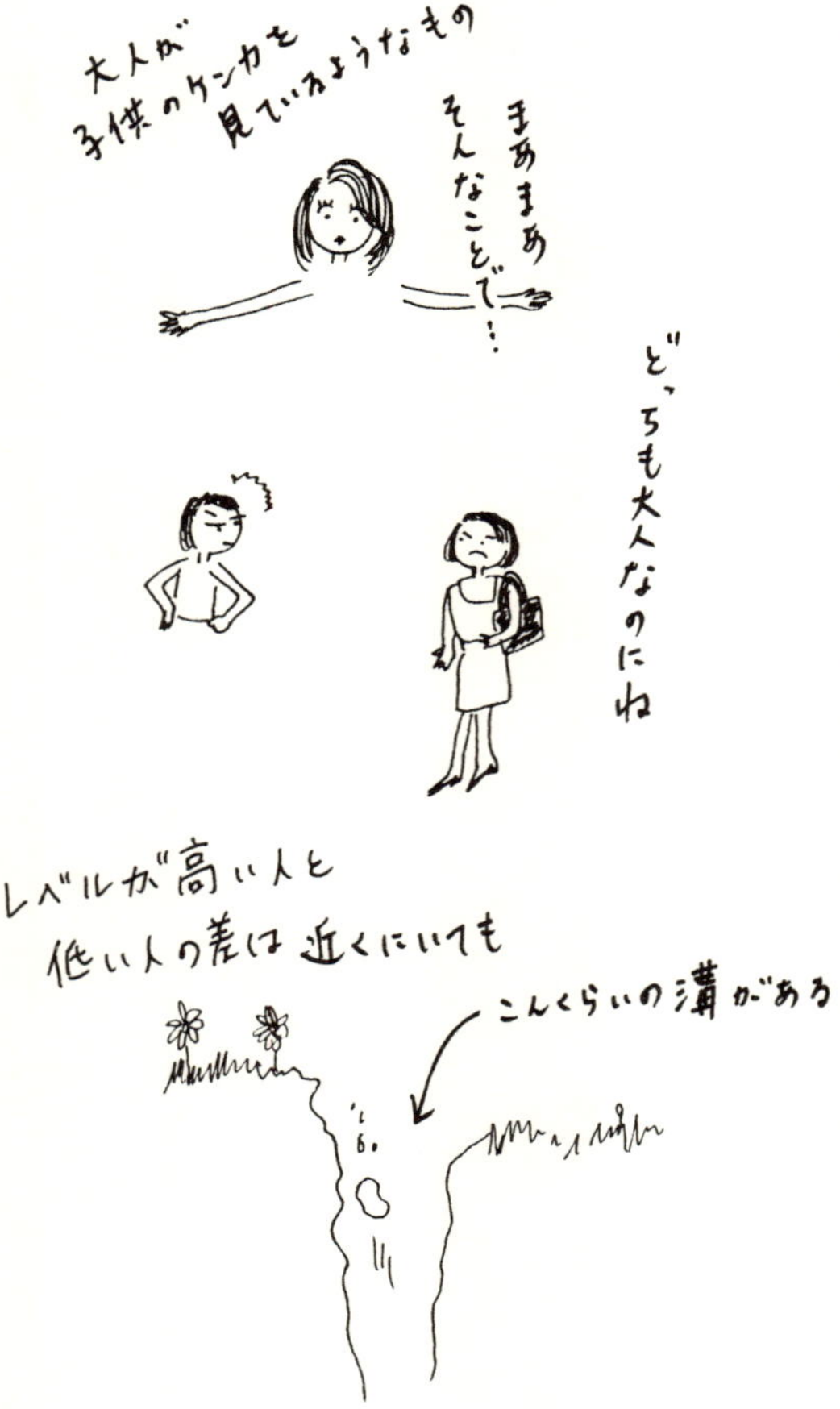
大人が
子供のケンカを
見ているようなもの
まあまあ
そんなことで…
どっちも大人なのにね
レベルが高い人と
低い人の差は 近くにいても
こんくらいの溝がある

「プラス思考をすると運が良くなる」って、どういうことですか？

「プラス思考」はものごとの明るい面を見るようにするわけですから、自分の心を明るく維持するのには効果的です。

運のいい人になる初級バージョンの人は、日常生活のちょっとしたことでイライラしそうな時にプラス思考をするといいでしょう。

- 電車がとまったら→読みかけの本が読める
- 渋滞《じゅうたい》にはまったら→好きな音楽が聞ける
- 約束が延期になったら→楽しみが倍増されたと考える
- 毎日雨で憂鬱《ゆううつ》だったら→新しい傘が買える
- 風邪をひいたら→ゆっくり休める

●態度の悪い人に出会ったら→自分はこんなことしてなくてよかったと思う
●車をぶつけられたら→ぶつけた側じゃなくてよかったと思う

自分の不可抗力で起きたことに、いちいちイライラする必要はないということです。

イライラしてもしかたないことに腹を立てていると、自分が損しますよ。

なぜって、イライラしないように気をつけることは、その時の気持ちを落ち着かせるためだけではないからです。

イライラしなくなると、自分の中に「プラスのパワー」がたまるのです。

そして**「プラスのパワー」がたくさんたまると、運の良いことを引き寄せるために使われ始めるのです。**

イライラしないようにするのは、その場しのぎの考え方ではないのです。


では、毎日の小さなことにイライラしないでプラス思考で暮らしていると、どんな不思議なことが起こってくるのか、これから順番にお話ししましょう。

運が良くなると、どんなことが起こるのですか？

小さなことにイライラしないでプラスのパワーをためると、精神レベルが上がります。

精神レベルが上がると、自分のまわりに起こることが、はっきりと目に見えて変わってきます。

よく「精神レベルが上がったかどうか、どうしてわかるの？」と聞かれますが、面白いぐらいに起こることが変わってくるので、本人が一番はっきりとわかるはずです。

はじめは、小さな変化です。

例えばこれはわたしの場合ですが、

●「話したいなあ」と思っている人から電話がかかってくる

●「あの人どうしているかな」と思っている人に、バッタリ出会う
●車を停める時、どんなに混んでいても自分にちょうどいい所のコインパーキングが必ず空く
●雑誌やテレビで見て欲しいと思っていた物や、なくなったから買おうとしていた物を、人から頂いたりなにかで当たったりする
●予定が重なってしまった時、自分のほうから断らなくても、相手から「変更してほしい」と連絡がある
●なにかについて知りたいと思っていると、テレビや雑誌で特集をする

こんなような「ちょうどよかった…」ということが、以前の自分にくらべてたくさん起こり始めます。

はじめのうちは小さなことなので、「ちょうどよかった」「たまたま運が良かった」程度にしか感じないのですが、**これらは全部自分の力なのです。**

このようなタイミングのいいことが毎日のように起こるようになると、本当に不思議な気分になって、「どうして突然タイミングのいいことばかり起こるようになったんだろ

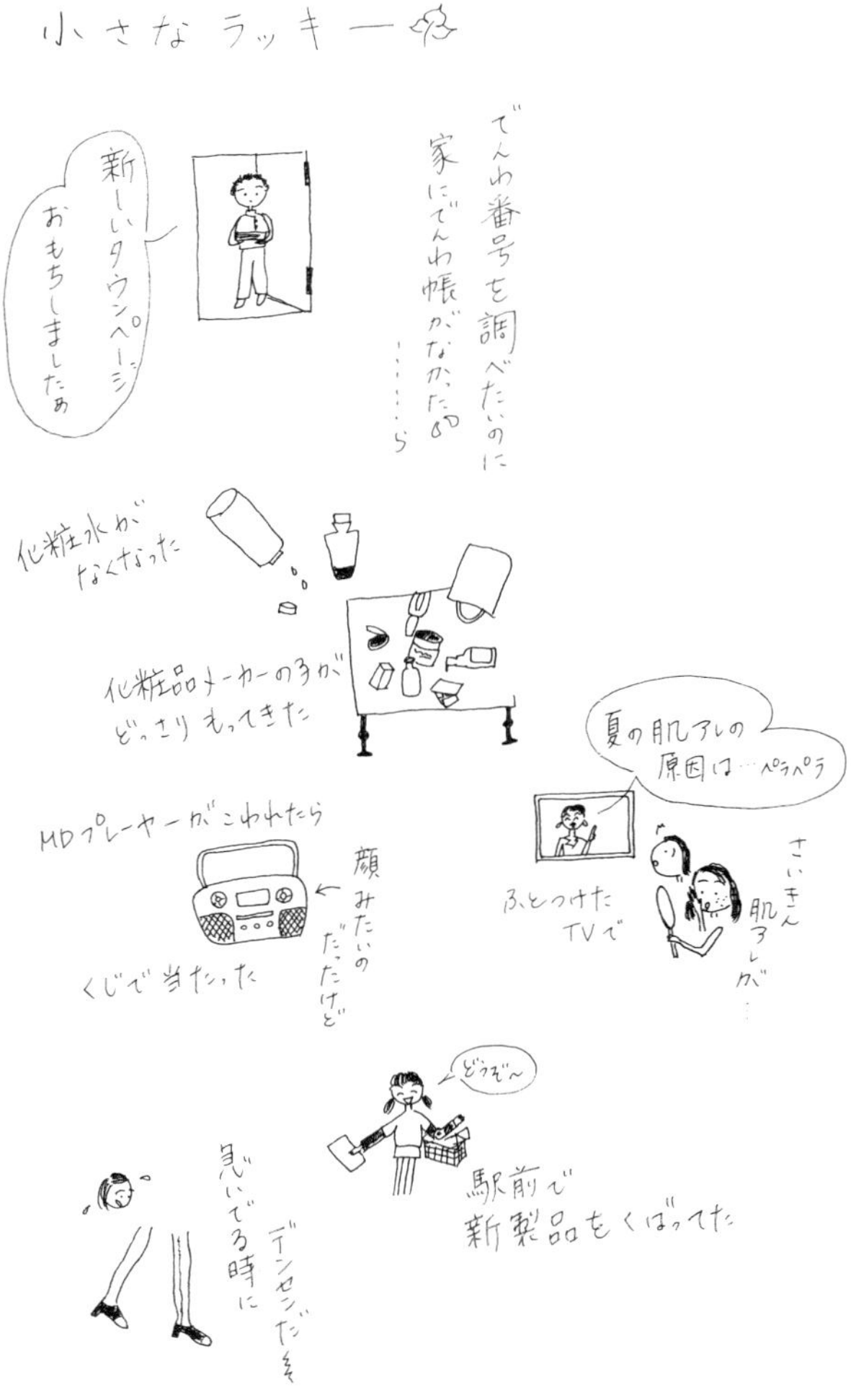
小さなラッキー
でんわ番号を調べたいのに
家にでんわ帳がなかったら……
新しいタウンページ
おもちしましたぁ
化粧水がなくなった
化粧品メーカーの子がどっさりもってきた
夏の肌アレの原因は…ペラペラ
ふとつけたTVで
さいきん肌アレが…
MDプレーヤーがこわれたら
顔みたいのだったけど
くじで当たった
どうぞ～
駅前で新製品をくばってた
気づいてる時に
デンセンだ～

う、なにか原因があるのかもしれない…」と思うようになるはずです。

わたしも不思議でしょうがなかったので、自分の生活の中でどういう時に運のいいことが起こりやすいのかを、いろいろと実験して観察しました。

その結果、わたしの行いが良い時、心が明るく楽しい気分の時、文句を言わずに穏《おだ》やかに過ごしている時、こういう時だけ運の良いなにかが起こることに気づいたのです。

「運の良いことを起こしたければ、自分の行いを良くすればいい」

この仕組みに気づいてからは、こんな小さなラッキーを起こすことぐらい、なんでもないようになりました。

慣れてくると、電話が鳴っただけで「最近どうしてるかなって思っていたから、多分あの人だな」なんて思って、ほとんどが当たっています。

体調が悪いから出かけるのが面倒だなと思っていると、本当に相手のほうから連絡があって都合良く予定がずれてくれる、なんていうことはしょっちゅう起こります。

欲しい物まで、向こうのほうから近づいてくるようになります。

とにかく、**運のいいことはプラスのパワーをためると起こるようになる**のです。

今年の夏、旅行先で母がアドレス帳をなくしてしまいました。すぐに連絡のとりたい人が何人かいたので困っていたら、日本に戻ってきた次の日に、会うはずがないような所でその人にバッタリ会うことができました。

こういうようなことは精神レベルが高くなればなるほど頻繁《ひんぱん》になり、「どうしようかな」と思ったすぐ次の日に運のいいことが起こる、というように起こるスピードも早くなります。

どうすれば運のいい人になれるのですか？（上級バージョン）

運のいい人になるには、「プラスのパワー」をためることです。

日常生活の小さなことにイライラしなくなったら、次は、**もっと一度にたくさんプラスのパワーがためられる方法**をためしてみましょう。

その方法とは、自分の中で「これがネックだな、苦手だな」と思うなにかをなくすことです。

心の中にマイナスを抱えているとプラスのパワーがたまりにくいので、自分の中でマイナスに感じることをなくせば、一気にプラスのパワーが増えて運が良くなるのです。

でも、自分がマイナスと感じる部分をなくすのは、かなり難しいでしょう。

そんなに簡単に解決できるなら、誰も苦労しませんよね。

特に人間関係で悩んでいる場合は、職場や家庭など環境を変えることができないことが多いので、自分のほうから歩み寄ることはなかなかできないと思います。

でもそういう場合は、**行動を起こさなくても、心の中で思うだけでもいいのです。**

わたしの少し年上の友人で、いつもお姑さんと衝突して暮らしている人がいました。

「会うといつもけんかになるし、話は合わないし、一緒にいるとイライラする…、でもいまさらなんとかしようとする気にもならない…」

なんて言っていたのですが、プラスのパワーの話を聞いて、ふと

「わたしが好きで結婚したあの人の母親なのよね。いちいちうるさいのも、息子がかわいいからこそよね。わざとわたしを困らせるためにあんなことを言ってくるわけじゃないかもしれない」

と思ったらしいのです。

そして、「この間《あいだ》は言い過ぎたな、悪かったな」と心の底から思ったそうです。心の底から思ったことは、口で伝えなくても、その瞬間に伝わっています。

そうしたら次の日に、「この間は言い過ぎて悪かったわ」とお姑さんのほうから電話が

あったというのです。

こんなこともありました。
親戚《しんせき》の知人で、息子が家出をしたまま帰ってこなくて悲しんでいる人がいました。
いろいろと話をしているうちに、お母様も息子に対して間違った態度をとっていたことに気づいたそうですが、「そう思ってもそれを伝える方法がない」と言うので、「本っ気で心から思えば、その瞬間に通じているはず」と伝えました。

お母様は「今までの自分を振りかえると、思いつくことがたくさんある」と涙を流して心から息子のことを思ったそうです。

２、３日後、１年以上も連絡のなかった息子が、ひょっこり帰ってきました。

自分の心の中でちょっと意識しただけで、すぐに目に見える結果になって表れます。

心の中で、心底《しんそこ》思うだけでいいのです。

必ず反応があるはずですよ。

もし、今すぐに思いつくマイナス要素がない場合は、22ページにあるような、「良い行い」を積極的にすることです。

- **部屋の掃除をする**
- **規則正しい生活をする**
- **目の前にあることを一生懸命やる**

- 礼儀正しくする
- お年寄りに席をゆずる
- 困っている人に声をかける
- 人の悪口を言わないようにする
- 言葉づかいに気をつける

などなど、自分が思いつく小さなことで効果があります。

自分の中の気がかりなマイナスを減らして、良い行いをして心が晴れ晴れすると、プラスのパワーがどんどんたまります。

そしてしばらくすると、「タイミングがいいなあ」「運がいいなあ」という不思議なことがますます起こるようになります。

これは本当に、不思議なです。

仕組みのわかった今でも不思議に思います。

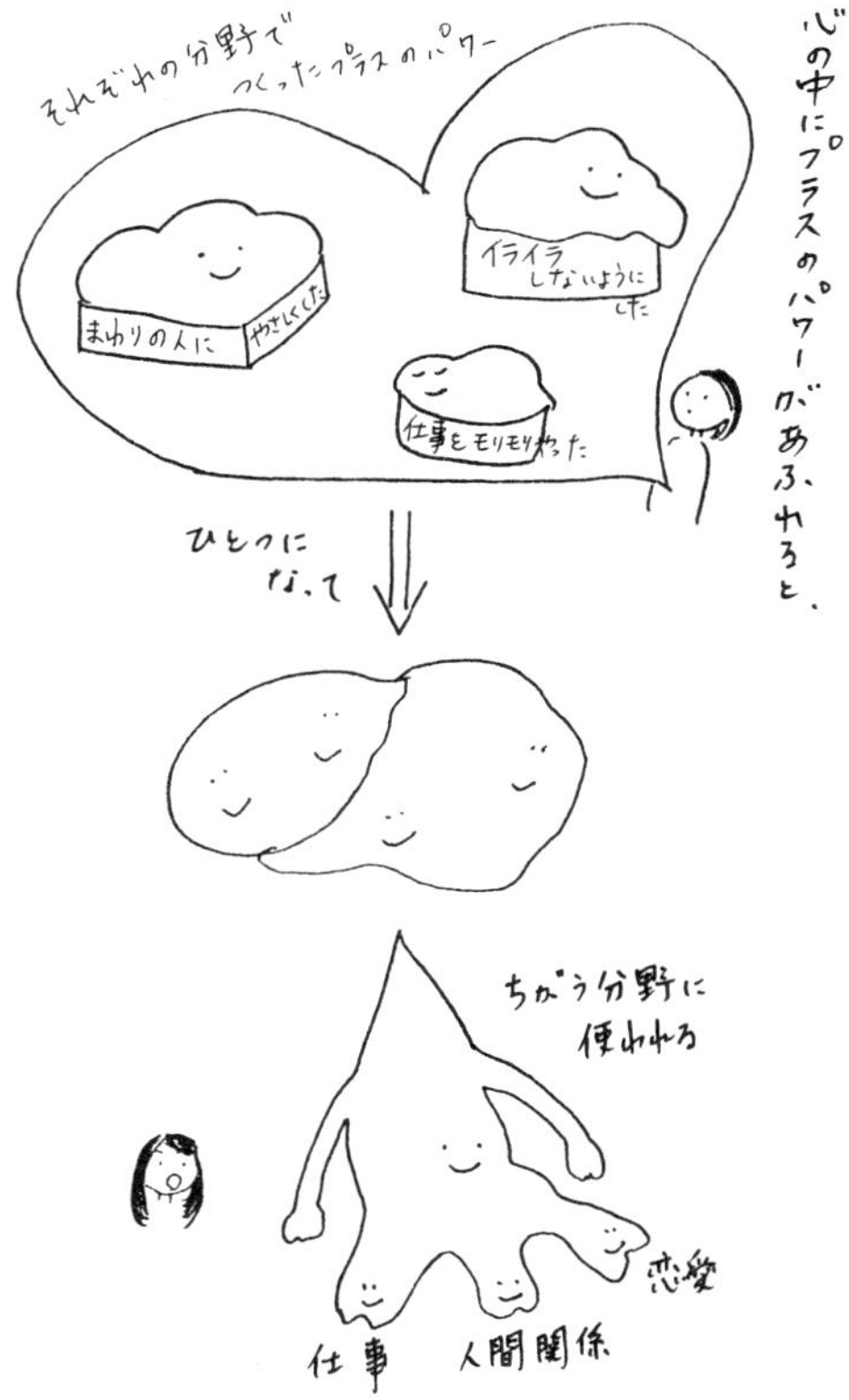
それぞれの分野でつくったプラスのパワー
心の中にプラスのパワーがあふれると、
まわりの人に
やさしくした
イライラしないようにした
仕事をモリモリやった
ひとつになって
ちがう分野に使われる
仕事
人間関係
恋愛

ホイ
ホイ
あっちのパワーをこっちに使える

マイナスのことを考えるといけないのはなぜですか?

自分のまわりには、自分の心の中で考えていることと同じ状況が引き寄せられてきます。

プラスのパワーをためると運のいいことが起こるように、**マイナスのことを考えていれば、それに見合う状況が現実にやってくる**のです。

これが信じられない人は、自分のまわりにいる人のことを考えてみてください。

優しい人のところには、同じように優しい人が集まっているはずです。

自分からみて「ちょっと変わっているな」という人、その人の友だちは、やっぱりちょっと変わっていますよね。

似たもの同士がグループをつくっているのです。

このような例だと「それは当然でしょ」と思うのに、どうして「自分の心と同じ状況がやってくる（引き合う）」という話には、「？」と思うのでしょうか。

まったく同じことなのです。

プラスのパワーと同じように、マイナスのことをしたり考えたりしていると、それが「マイナスのパワー」として、知らない間に心の中にたまっていきます。

それがたくさんになれば、直接関係ない別のところでも、必ず悪いことが起こるのです。

自分のせいで起こったようには思えないことも、全部、自分の中にたまってしまっていたマイナスのパワーが原因だった、ということです。

降って湧《わ》いたような良いことも悪いことも、すべて自分の中にたまっていた「プラスとマイナスのパワー」のバランスだったのです。

自分の心と同じ環境を引き寄せてしまう、だからマイナスのことを考えてはいけないのです。

人が集まってくるのも
その人が明るくて　みカがあるから

思ってることが
やってくる
そんなに暗いことが好きなら
かなえてあげるよ
これにしてみれば
本人の希望を
かなえてあげただけ

「最近、なんだか運の悪いことが多いなあ」と感じた時、ここしばらくの自分の行動をふりかえってみてください。たいていマイナスのことを考えていたり、小さなことにイライラして過ごしていたはずです。

これに気づいた時、すぐにプラスのパワーをつくるようにすれば、不思議と運の悪いことがとまります。それをもっと続けていれば、今度は運の良いことが起こるようになるのです。

なにかが起こるとすぐ不安になります。どうすれば心配せずに前へ進めますか？

すぐに不安になってしまうのは、「不安になること自体がマイナスのパワー」だということを知らないからです。

人は、うまくいかせたいことがあると、それについて一生懸命考えます。でも考えているうちに心配になって、知らない間に悪いほうへ悪いほうへと考えて、最後には不安になるのです。本当は解決策を見つけようとしていたのに不安になるだけだった、ということってありますよね。

「不安」というのはマイナスのパワーなんです。

不安になってうれしくなる人はいないし、心が明るくなることもないからです。

人に対して意地悪をする、というような具体的な行動がマイナスだとはわかりますが、心の中にある「不安」もマイナスだとわかっている人は、けっこう少ないんですよね。

心配のあまり、ついうまくいかなかったことを想像してしまったり、「もしダメだったらいやだなあ、そうなったらどうしよう」という思い、こういうのも全部マイナスのパワーととらえるべきです。

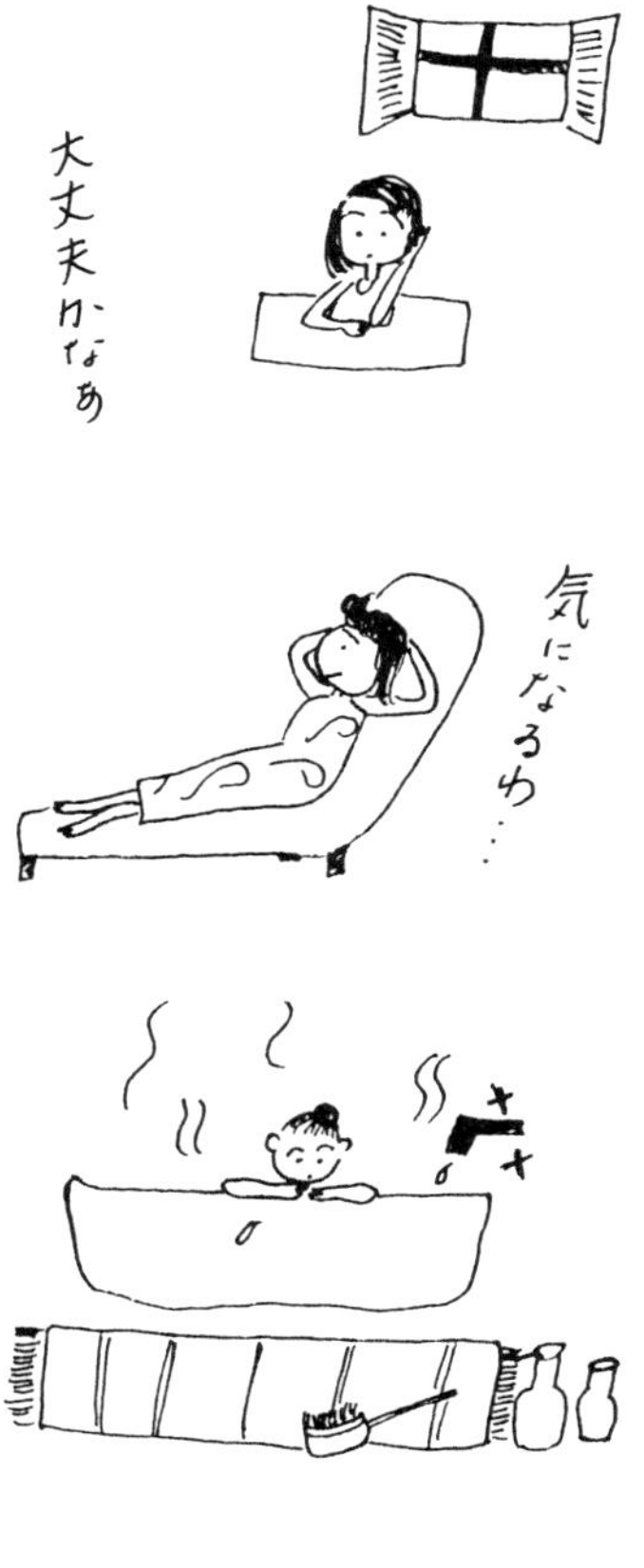

不安になって、悪いことを考えれば考えるほどそのような状態を引き寄せる、という

ことが本当にわかってくると、悪い場面を思い浮かべて不安になるなんてことは、恐くてできないようになります。

不安にならないためにはどうすればいいのでしょうか。

考えているうちに、だんだん心配になって不安になってしまう、それだったら、考えるのをやめればいいのです。

あれこれ考えて不安になるなら、考えるのをやめたほうがずっとプラスです。

うまくいかせたいと思って考えるのは、逆効果です。

うまくいかせたかったら、余計なことを考えないほうがいいくらいです。

と言っても、なにかが起こった時に考えるのをすべてやめてしまったら、それは「逃げ」になってしまいますよね。

ここで言っているのは、「自分にできることはもう全部やった」後《あと》の場合です。

これ以上どうしようもないと思ったら、考えるのをやめて頭の中からすっきりと出すのです。ややこしい問題ほど頭から追い出して、からっぽにすることです。

そして、マイナスがなにもないからっぽの状態で、プラスのパワーをためるのです。

自分の心にマイナスがなにもない状態でプラスのパワーをためると、自分のまわりのトラブルや悩みが、突然解決します。

考えられないような大どんでん返しが起こったり、ナイスタイミングの人の助けがあったり、自分がなんとかしようとしなくても自然と解決してしまったように感じます。向こうが勝手に解決してくれた感じです。

こんな素晴らしい「プラスのパワー」をためるのを邪魔《じゃま》しているのが、実は人が何気《なにげ》なく抱えてしまう「不安」や「心配」なのです。

心の中に「不安」というマイナスがあると、せっかくプラスのパワーをためていても、まずそのマイナスを消化するのに使われてしまうので、プラスとしてたまる分までは残

まずは
マイナスを 飲みこむ

残った分が
プラスとして
どんどんたまる

りません。

なにか心配なことが起こっても、自分にできることをしたらもう忘れちゃっていいんです。

心の中をからっぽの状態にして、あとはプラスのパワーをつくるような生活をしていれば自然と解決してくれる、これは本当に楽ですよね。

一度やり方がわかると、どんなことが起こって解決するのか楽しみになるほどです。

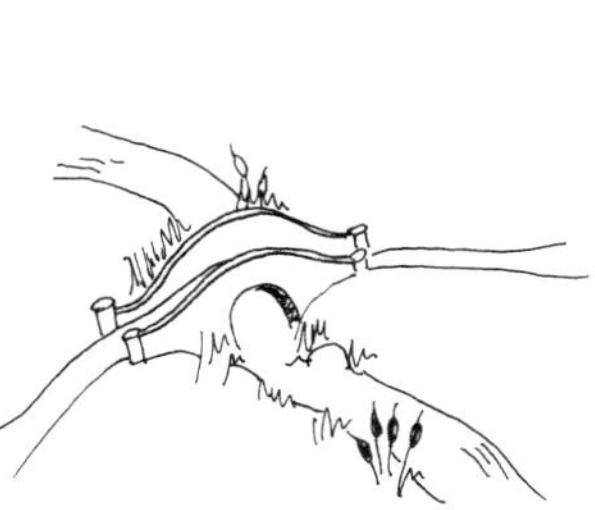

「願い続けていれば、いつかはかなう」って本当ですか？

自分のまわりには自分の心と同じ状態のことしか起こりません。

自分の心（意識）がいつも考えていることが、引き寄せられてくるのです。

自分が考えていることが実現する仕組みを、わたしは次のように考えています。

人の心がいつもいつも考えていることは、その人の「思い（意識）の型」となります。

中に金属や粘土を流し込んでつくる「枠《わく》組み」のようなものです。

その「型」に、プラスのパワーが流れこむと現実になるのです。

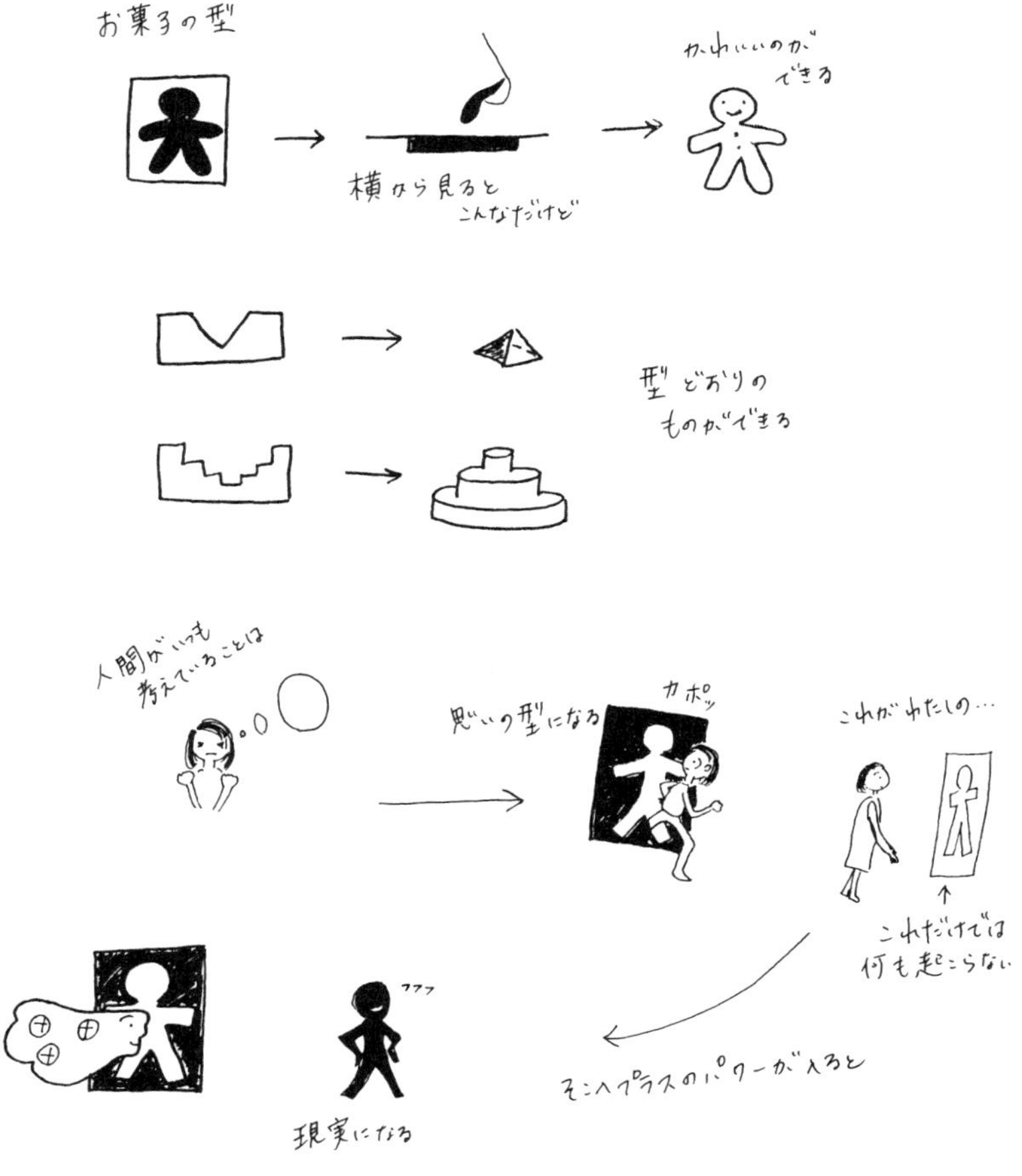
お菓子の型
横から見ると
こんなだけど
かわいいのが
できる
型どおりの
ものができる
人間がいつも
考えていることは
思いの型になる
カポッ
これがわたしの…
これだけでは
何も起こらない
そこへプラスのパワーが入ると
フフフ
現実になる

思い描き方にはコツがあります。

「こうなればいいなあ」と夢のようにぼんやり思い浮かべるのではなくて、すでにそうなっている自分をはっきりと具体的に考えるのです。

それがかなえられて大喜びしている自分でもいいし、もっと効果的なのは、そうなるのが予定通りのように当然として考えることです。

「ああなったら、次はこうしよう」と、その先のことまで計画をたててしまうぐらい強く思い描くのです。

わたしは大学を卒業してからロンドンに留学したのですが、帰って来てからすぐにやりたい仕事が見つからなかったので、しばらく学生の時にやっていた家庭教師の続きをしていました。

当時は生徒が一人しかいなかったので、たくさん増える状況を思い描いたのです。

最初は「そうなりますように」とお願いするようなスタンスでしたが、いつも考えているると本当にそうなりそうな気がしてきて、最後には「たくさんになり過ぎて困ったりして…」とまで思えてきました。

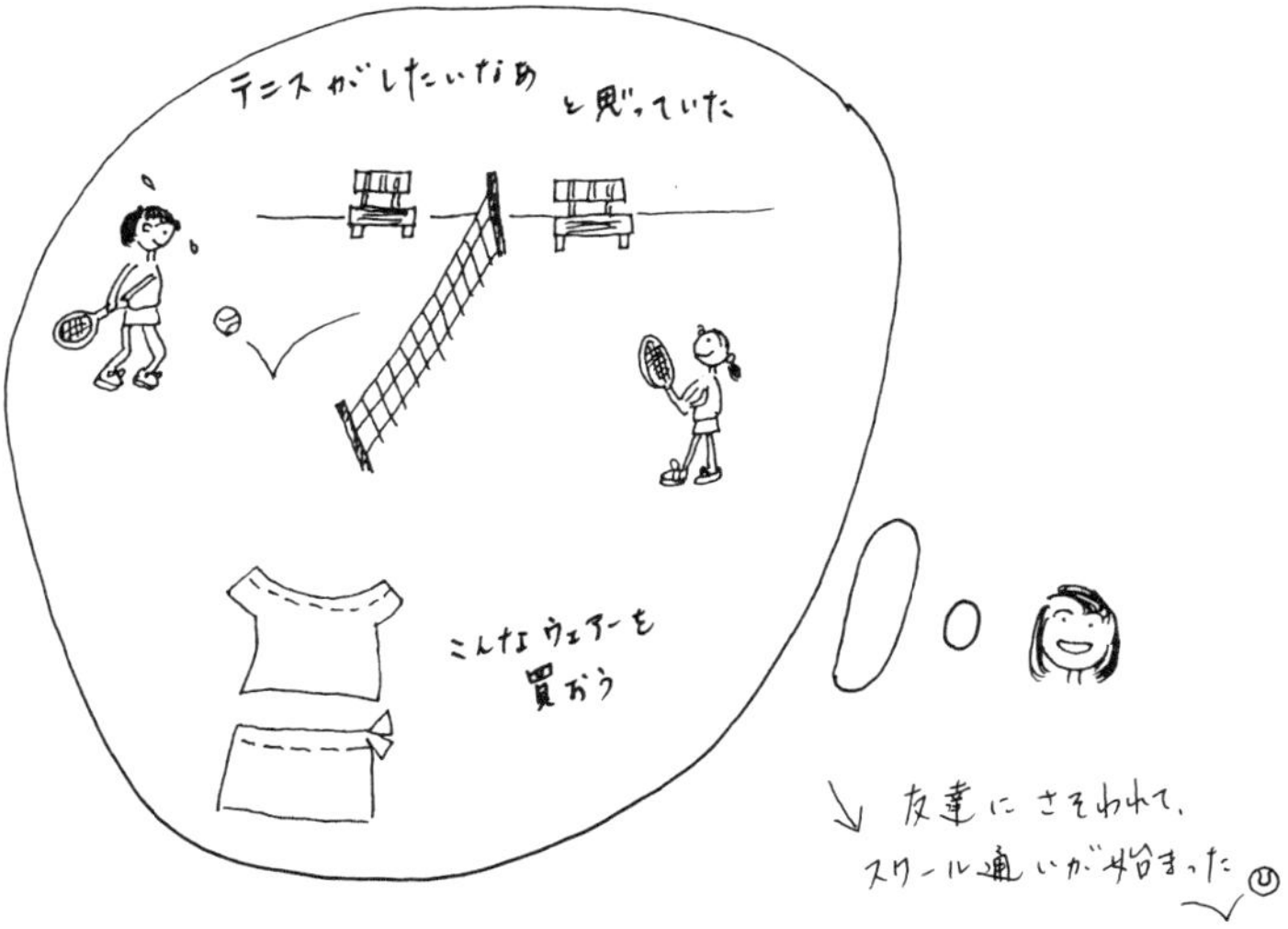
テニスがしたいなあ
と思っていた
こんなウェアーを
買おう
友達にさそわれて、
スクール通いが始まった

そうしていたら何ヶ月も経たないうちに、次々と生徒を紹介され、半年後には7人にまで増えていたんですよね。

ふと気づいたら、「あれ、その通りになってるかも…」という感じです。

大きななにかに成功した人は、よく「絶対うまくいくことを信じてやった」とか「夢をいつも思い描き続けた」ということを言っています。

こういうことを聞くと、「それは成功したから言えることでしょ」とか「みんながみんなそうなるわけではない」ととらえる人がほとんどですが、それは思い描き方が弱いからです。

具体的ではないからです。

信じて描いていないのではないでしょうか。

これは慣れなので、まずは身近の小さなことから思い描く練習をするといいと思います。

「紙に書くと願いがかないやすい」って本当ですか？

自分のこうなりたいと思うことを、ためしに何回も紙に書いてみてください。邪魔されずに静かに集中できる時間、寝る前などでもいいと思います。

紙に書くと、自分の望みが視覚からもインプットされるので、心の中だけで思っているより、具体的に頭や意識に残ります。

毎日書いているうちに、だんだんそうなるのが当たり前のような感じになってくるでしょう。

そうなっていくのが当たり前、ぐらいになれば、それはもう「パワー」です。

現実を動かしていく力があります。

当たり前と感じるようになると、自分の中でそれに対して心配する気持ちがなくなります。マイナスの不安がなくなるのです。

ここでもコツがあります。

「～になりますように」と書くのではなく、「～になる」「なった」と断定的に書くのです。思い描き方のコツと同じです。

もうそうなった自分が存在しているように書く、ということです。

そして、自分が安心するまで書いてみてください。

本当は心の中で100パーセント思い描ければ充分なのですが、書いたほうが思いが固まりやすいので、「かなえたいことは、まず文字にして書く」という方法を実行している人は、意外とたくさんいるんですよね。

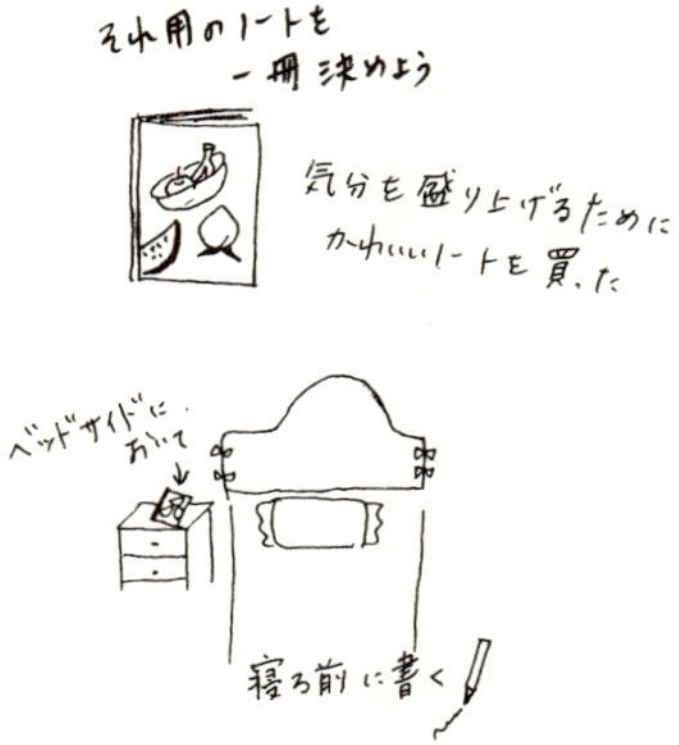
それ用のノートを
一冊決めよう
気分を盛り上げるために
かわいいノートを買った
ベッドサイドに
おいて
寝る前に書く

「言霊《ことだま》」ってなんですか？

昔から、言葉には「言霊」というものがあると言われています。

「言霊」とは、「言葉にはそれぞれ魂《たましい》があって、その音の響きや言葉の並び方によって力がうまれる」というものです。

「言葉」というものは、口に出すだけで「パワー」となり、現実をそのほうへ流していく力があるのです。

現在では、これを科学的に証明しているものもあるくらいです。

わたしも自分の生活でためしてみて、良いことも悪いことも、言い続けていれば本当にそうなってしまうということがよくわかりました。

「言霊」のパワーに気づいていなかった学生の頃、わたしは、部活やお稽古事《けいこごと》を休む時に、よく「風邪をひいたので」とか「体調が悪いので」と言ってお休みしていました。ところがこれを理由にして休むと、そのあと本当に風邪をひいてしまうことに気づいたのです。

一度など、祖母の体調の悪いのを理由にしたら、元気だったはずの祖母が2週間後に風邪で入院してしまって、ゾッとしたこともありました。

わたしに特殊《とくしゅ》な力があるわけではありません。

注意していれば、誰にでもこういうことは起こっているのです。

自分にとってマイナスのこと、みんなけっこう簡単に口にしていますよね。

例えば試験など、なにかの結果待ちをしている時、もしうまくいかなかったら恥ずかしいから、

「べつに今回ダメでもいいんだ、また次があるし」

なんて言ってしまうようなことって、ありませんか。

または、なにかうまくいかせたいことがある時に、「うまくいかなかったりして…」とか「ああなっちゃったりして…」「まあ、無理だと思うけど」と、世間話のように口にし

同じことばを言い続けて
数週間たつと
本当にあった実験
ごはん
きたない黒カビ
にくい
バカきらい
つまらない
サイテー
ごはん
ふつうのカビ
楽しい
ありがとう
うれしい
愛してる
幸せ

ている人がいますが、これは言霊の威力《いりょく》をわかっていない人です。

このようなことを言っていたら、本当にそっちへ流れていきますよ。

言葉にはパワーがあるので、マイナスのことは冗談でも言ってはいけません。

ついこの間、お扇子《せんす》とうちわのセットを祖母からもらいました。

「多分…、使わないんだけど…」と言ったのですが、もらってほしそうだったので、「外国人の友だちが来るかもしれないから、おみやげにもらっておくね」と言ったのです。

その時のわたしは、別にウソをついたという感覚ではなく、祖母がすごくもらってほしそうだったので、意味もなく言ったのです。

数日後、イギリス人の友だちが日本に来ることになったので、ぴったりのおみやげになりました。

自分ではたいした意味もなく、ポロッと言ったことなのですが、「あれ、本当にそうなった」ということは、結構あるのです。

まして、そこに心がこもっていれば、良いことも悪いことも影響がないわけがありません。

言葉っていうのはそれぐらい、人の生活に影響のあることです。

「言葉にはパワーがある」

「縁起《えんぎ》の悪いことは言わないほうがいい」

こういうことはちまたでよく言われていますが、その本当の力をわかっていない人が多いのです。

こういう所に
書いてある
おいのりの言葉だって、
言うだけで意味のあるもの。

同じように願っていても、かなう人とかなわない人がいるのはなぜですか?

あの人と同じぐらい強く思い描いているのに、あの人はかなって自分はかなわないのはどうしてでしょう…、それは精神レベルが違うからです。

あの人はそれがかなうのにふさわしい精神レベルだけど、自分はその望みにふさわしいレベルではないからかなわないのです。

どんなに真剣に思い描いても、実生活の中でマイナスのことばかりして精神レベルが低ければかなうわけがありません。

真剣に思い描いたり、紙に書いて現実にする方法は、あくまで、日常生活でプラスのパワーをためて、精神レベルを上げたうえでやることだからです。

基本は、やっぱりその人の精神レベルにかかっているのです。

30ページで書いたようにプラスのパワーをつくっていくと、精神レベルが上がります。日常の中でラッキーなことが頻繁に起こるようになって、小さなことならば思えばすぐにかなうようになります。

良いことしか起こらなくなるので、イライラもしなくなります。

するとまた精神レベルが上がって、自分のらせんがだんだんと上に上っていきます。

良いことも悪いことも自分で引き寄せることがわかると、不公平を感じなくなるので、ますます心穏やかに安心して目の前のことに打ちこむようになります。

これをくり返していると、今までにはなかったようなものすごい大きさのラッキーなことが起こって、ふと気づいたら最初に目指していた自分の望みがかなっているのです。

つまり、その望みにふさわしい精神レベルになれば自然とかなうということです。

望みが大きければ大きいほど、たくさん精神レベルを上げなければいけません。

「なんでかなわないんだろう」と思っている暇があるなら、せっせとプラスのパワーをつくって精神レベルを上げるべきです。

そうすれば、「今の時点ではとても無理…」と思えるような大きな望みも、信じられない不思議なことが起こったり、小さなラッキーが重なって、だんだんと近づいてきます。

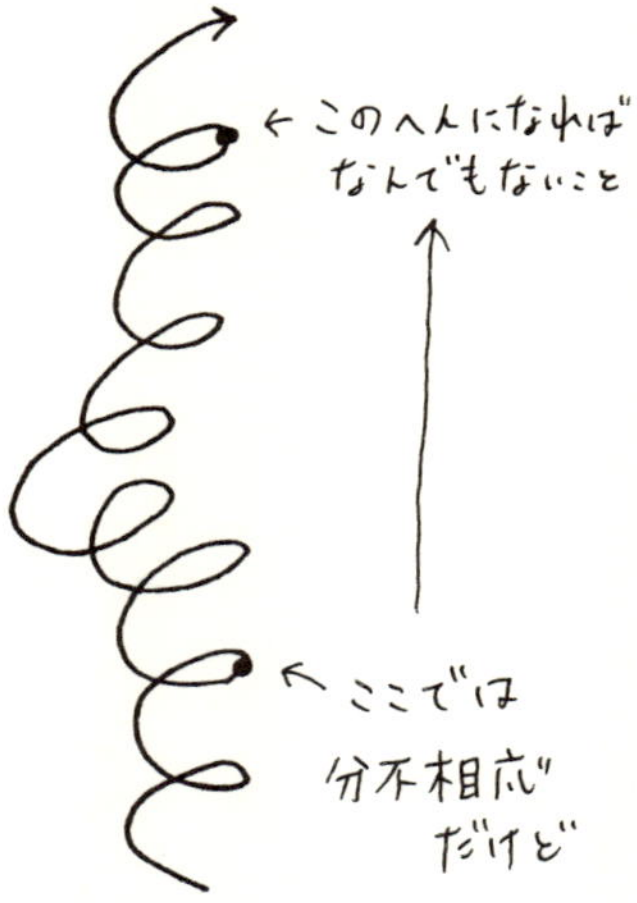

←このへんになれば
なんでもないこと
←ここでは
分不相応だけど

「すべてのことには意味がある」って本当ですか？

自分のまわりにやってくる話やものごと、目にふれるひとつひとつのことにも、すべて意味があります。

偶然はありません。全部、その時の自分に必要なことなのです。気にもとめないような小さなことにも、情報は隠れています。

昨年の終わり頃、わたしが留学していたロンドン市内の同じ街に住んでいた日本人に、日本でバッタリ会いました。

「なつかしいですねえ」とロンドンの話で盛り上がって、その時はそれだけのことだったのですが、それからしばらくの間、わたしのまわりに英語に関係ある話が続きました。

翻訳《ほんやく》をしている人と新しく友だちになったり、アメリカ人とつき合っている友だちから相談ごとをされたり、身近な人のイギリス留学が決まったり…。

「これはなにかの情報だ、英語をやりなさいってことだ」と思ったので、しばらくお休みしていた英会話に、また通うようにしたんです。

そうしたらしばらくして、英語の通訳をしている知り合いに、「手が足りないから手伝って」と短期のバイトをたのまれ、「やっぱり英会話が必要だった」とホッとすることになりました。

なんの意味もなさそうな、日常の中で起こる小さなことも、すべて情報です。

はじめはなかなかわからないのですが、情報だと気づいて、その通りにやってみたらうまくいったというコツを一度つかむと、ますます敏感《びんかん》になっていきます。

自分のまわりに集まってくることを合わせてみると、次に自分になにが起こるか予想までできるようになります。

精神レベルが上がると、もっと日常的なことにも意味があるのを感じるようになります。

例えば数日前…。

家を出てから、友だちに渡す物を忘れたことに気づきました。

「また明日も会うし、急ぎじゃないからいいかな」と思ったのですが、なんだかどうしても今日渡したほうがいい気がしたので、家に戻ったのです。

そうしたらなんと、机の上に財布も忘れていたんです。もちろん免許証も入っていたので、そのまま出かけていたら不携帯になるところでした。

こういう「ふっ」と思うこと、これにも意味があるので、その通りにやってみるとどんな意味があったのかがわかります。

この場合は、「財布を忘れている」という、友だちに渡す物よりもっと大事なことに気づかせてくれていたんですよね。

自然と家に戻るように合図が来ていたのです。

たとえば こんなことも.
車に
携帯忘れた!
すぐ戻るからいいや…
と思ったけど
なんとなく気になって
とりに行ったら
カギがつけっぱなしだった
ちゃんとお知らせが
来てる

「最近なんだかあれが気になるなあ」とか、「同じようなことばかり耳に入るなあ」という経験、パッと開いた雑誌の１ページに書いてある言葉、たまたまつけたテレビ、全部その時に自分に必要なことだから耳に入ってくるのです。

「わたしにはそんな情報は来ていない」という人は、それに気づけていないだけです。どんな人にもその人のためになる情報がやって来ていますが、それに気づけるかどうかが、精神レベルの高い人と低い人の違いなのです。

高い人はすぐに情報をキャッチするので、ますますタイミング良く動くようになるでしょう。

意味のない偶然はひとつもありません。

「すべてのことはプラスです」ってどういうことですか?

自分のまわりに起こることとは、自分になにかを気づかせてくれるためにある「情報」です。

74ページの英語の話も、「やっておいたほうがいいですよ」という情報でした。こんなことは書き出したらきりがないぐらい、たくさんあります。

自分のまわりに起こることで、意味のないことはありません。

そして、全部「プラス」のことなんです。

一見、嫌《いや》に感じる悪いこともです。

「あなたにもそういうところがありますよ、気をつけて」と自分に気づかせるために起こるのです。

だからそれは、その人にとってプラスのことです。

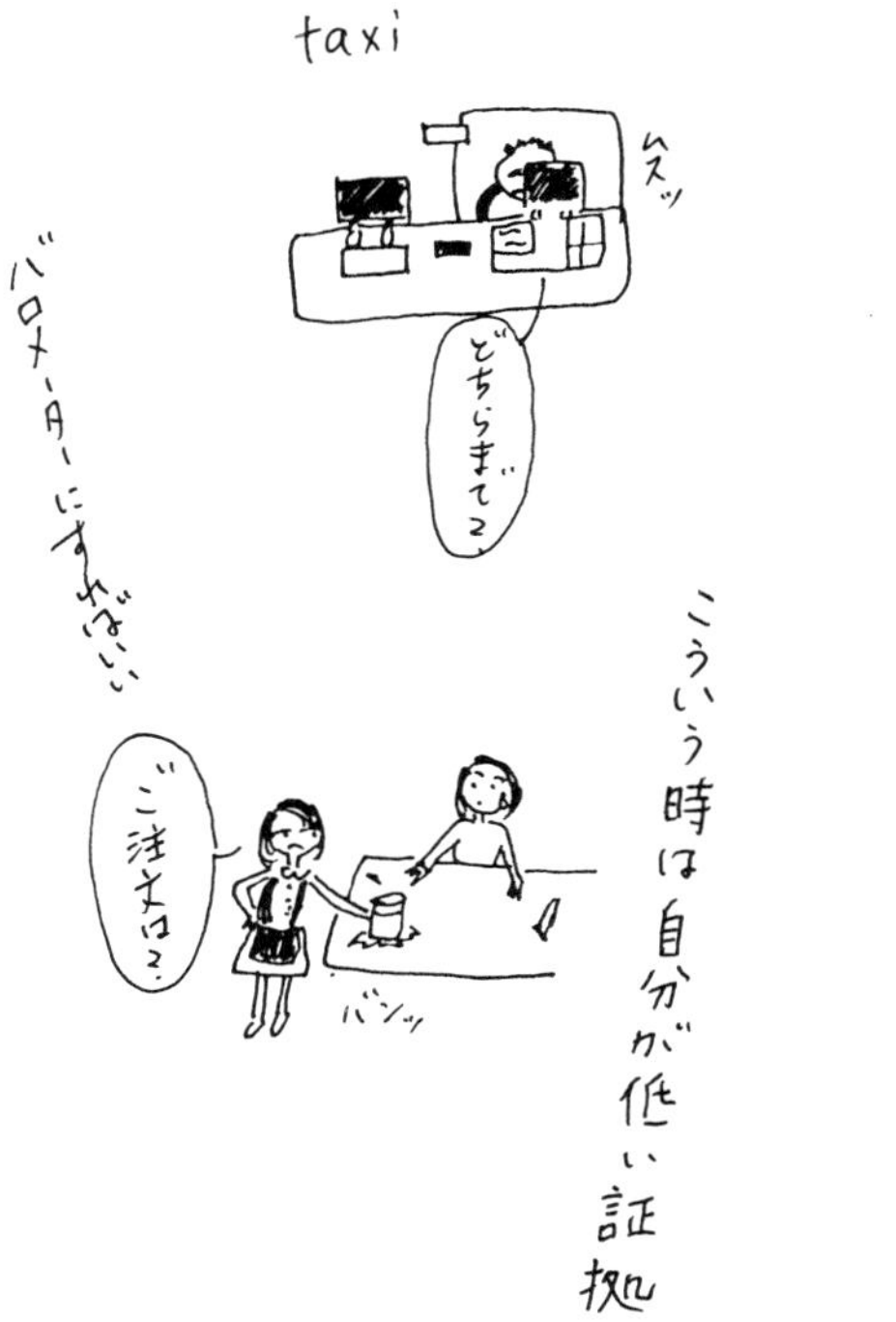

先月のこと、「まさにお知らせだな」と思うことが起こりました。
ここ数週間、わたしはなんだか機嫌が悪くて、親からも「なんだかイライラしていない!?」と言われることがたくさんありました。
運転中にノロノロした車が前にいると「はやくしてよ」と思ったり、レストランの店員さんの態度にムッとしたり、家族の何気ないことにカッとしたり、そういう自分をなんとも思わなかったり…。自分でも確かに態度が悪いとわかっているのですが、なんだかコントロールできない日が続いていました。

そんな時に、母親と遠出をして高速道路を走っていたら、スピード違反で白バイに捕まってしまいました。

わたしと同じぐらいのスピードの車は前にも後ろにもたくさんいたのに、たまたまわたしの後ろに白バイがサッと入ってきて、わたしだけ捕まったんです。しかも、いつも母の車は運転しないのに、たまたまその日に限って母が疲れていたようなので、帰り道だけ交代して運転していました。

「あ、やっぱり来たか…」

とすぐに思いました。

自分の態度が悪いと、すぐにお知らせが

くるんです。

「気づきなさい、なにか考え違いをしていませんか？　このままいくともっとひどいことになりますよ」という情報です。

隣に座っていた母親は、「ほらね」とすました顔をしていました。

「なんで自分だけ捕まったんだろう…、腹が立つ」ということではないんです。こういう時に「大したことない、へっちゃら…」という気持ちでいると、今度はもっと大きな悪いことが起こるはずです。「これでも気づかないのか…」とばかりに、もっと大きなことで気づかせようとするのです。

「気づかせてくれてよかった、命に関わるような大きなことにならなくて、小さなことで本当によかった」と、むしろ感謝することですよね。大難が小難で済んだ、ということです。

わたしだけ捕まってしまう意味が、ちゃんとあったんです。

一見嫌なことの中にも、その時の自分に必要な情報が隠されています。

それに気づくことができるかどうかが、精神レベルの高い人と低い人との差です。
気づける人は「気づいてよかった」と思うので、こういうことが起こってもムカムカしないでしょう。

先ほどから何回も「自分のまわりには、自分の精神レベルに応じたことしか起こらない」と書いていますが、まさに、わたしの精神レベルが下がっていたから、気づかせるために起こったことなんです。

だから、「嫌なことがあってムッとしたから殴った」とか「どうして自分だけにあんなことが起こったのか、考えるとまだ腹が立つ」なんていう人は、どうして自分だけそんなことが起こったのか、自分に来ている情報に気づいていないもったいない人です。

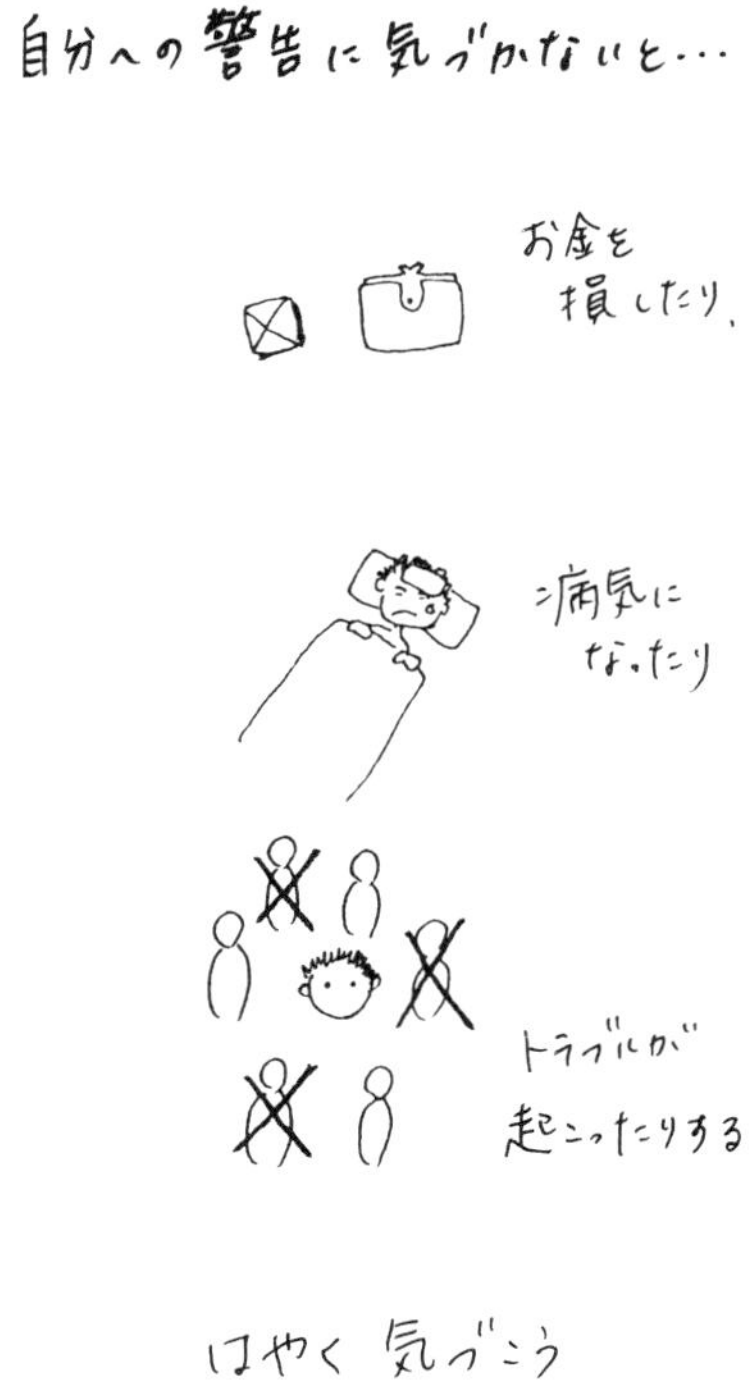
自分への警告に気づかないと…
お金を
損したり、
病気に
なったり
トラブルが
起こったりする
はやく気づこう

不幸が幸せに感じられる考え方はありますか？腹が立った時はどうすればいいですか？

基本的には、自分の精神レベルを上げれば「不幸」と感じることはなくなっていきます。なぜって、自分にとって良いことばかり起こるようになるからです。

そして、たまにくる悪いことは、自分に必要な「情報」ととらえればいいのです。

先ほど書いたように、「そこに気づけばもっとレベルがあがるよ」と、自分のウィークポイントを気づかせてくれているのです。

嫌なことの中に隠されている情報に気づく（トラブルをプラスにとらえてクリアーする）と、そこでレベルがひとつあがります。

だから、嫌なことはレベルアップのチャンスなのです。

どんなに高い精神レベルにいる人も、この手の「おためし」が必ずやって来ます。

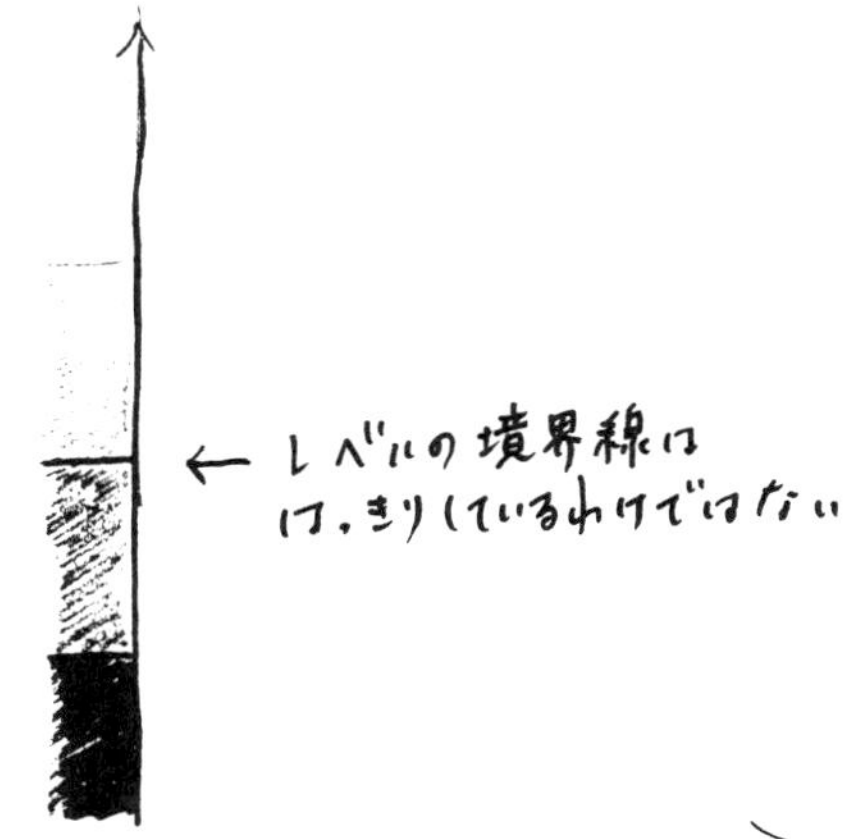
← レベルの境界線は
はっきりしているわけではない

上にも下にも
行きそうな
あいまいな所
クリアーすれば
正式に上のレベルへ
上に上がっている
最中に
おためしが来る
ホレホレ
クイッ

レベルが上がると、前の自分だったらよくあったような嫌なことが確実に減っていきますが、本当にそのレベルに落ち着いたかどうかの「おためし」が来るのです。

その「おためし」に、前の自分と同じようにイライラしたり、がっかりしたり、誰かのせいにして向き合えば、また逆戻りですが、「レベルアップのチャンスだ」ととらえれば、がっかりすることではありません。

嫌なことが来たら、「これをクリアーすれば、またひとつ上に上がれる」と考えればいいのです。

レベルが本当に上がると、同じ種類の嫌なことは起きなくなるので、自分が本当に上がったかどうか、はっきりとわかります。

嫌なことが起こって腹が立つ場合も、「自分に必要な情報に気づけるチャンス」ととらえるのです。腹が立つようなことが自分だけに起こってしまう意味が、ちゃんとあるのです。

「嫌なことの中にこそ情報がある」という本当の意味に気づくと、腹なんてぜんぜん立たなくなります。

「直感を信じて行動しなさい」ってどういうことですか?

ふと心に浮かぶ直感、これも情報なのです。

直感というのは、今の自分に必要なことを、その人の心にダイレクトに思いつかせてくれるものです。

俗に言う「ひらめき」です。

だから、思いついたらすぐにやってみたほうがいいのです。


なにかに成功した人、すごいものを発明してしまった人、このような人たちの成功談を聞いてみると、「ふと思いついてやってみた」ということが多いのに気づきます。

このようなひらめきは、特別な人にしかやってこないものだと思っていませんか?

「ふと思いついて、やってみたらうまくいった…」。このようなことは、わたしたちのような一般人にも、毎日のように起こっていることなんです。

では、**みんなに直感というひらめきがあるのに形になる人とならない人がいる、この差はなにかと言えば、直感を実行にうつしているかいないかです。**

直感というのは、「ビビッとひらめく」というような大げさなことばかりではありません。

理由はないのに、なんとなくぼんやり思いついたことも直感です。

ふと思いついたことを実行にうつすのは難しいことですが、ためしにこれをやってみるのです。

ふと家に戻ったら財布を忘れていた話（75ページ）、あのようなことも「直感（ひらめき）」のひとつです。

あの時に、あの「ふと」を無視していたら、後でもっと困っていたでしょう。

思いつくことは「直感」なので、その時にすぐやってみることです。

意味のないことを思いつくはずがないので、必ず「なるほどね」と感じる結果になるはずです。

雨が降っているのに出かけたくなったら…、出かけましょう。今日までにしなくてはならない用事を思い出すかもしれません。

バスの中から見かけた店に入ってみたくなったら…、わざわざ降りて入ってみましょう。ずっと探していた物が売っているかもしれません。

突然、車でどこかを走りたくなったら…、走ってみましょう。わたしの場合は、信号でとまった隣りの車に久しぶりの人が乗っていて、ご飯を食べることになりました。

用事はないけどあの人に電話してみたくなったら…、かけちゃいましょう。「ちょうど電話しようと思ってた」なんて言われます。

なんだか映画を見たくなったら…、見に行きましょう。自分が考えていたことの答えとなるような言葉が、セリフの中にあるかもしれません。

わたしも最初のうちは、なんとなく思いついたことがあっても、「今日はあれをやる予定だったから明日にしよう」とか「先にあそこに寄ってから行こう」とか、頭が当たり前のことを考えていました。

でも、ごちゃごちゃ考えずに、なるべく思い立ったその時にやってみると、たいてい

「なるほどね」というなにかが起こることに気づきました。

当たり前のことではないことを思いつくから、「ひらめき」なんですよね。せっかく思いついても、やってみなければ情報をキャッチしたことにはならないのです。

こんなに近くにいるのに……
ねぇ…
気付いてよ

思いついた通りに動くことを何回かくり返していると、コツがわかってきます。「ああ、こういう思いつき方の時は、直感なんだな」と感触がわかるようになります。

「なんでこんなこと思いついたんだろう」というような奇抜なことほど、やってみると面白いです。ひょんなことから、新しい道が開けてしまったりすることもあるはずです。

つまり、自分の心が思いつくままに行動するということです。

素直で、
単純で
楽観的で、たまに図々しいような
人のほうが、簡単にできるかも

頭で考えずに、「必ず意味がある」と思って、まずやってみることです。

そして精神レベルが上がると、ますます便利な情報がやってくるようになるので、その通りにやるとうまくいってしまった、ということが増えてくるし、その規模も大きくなっていきます。

直感だけを行動にうつすのをためらうなら、行った先に用事をつくればいい
おばあちゃまの家に行こうと思いついた
思いついた時がタイミングでもそれだけじゃ…
ついでに近くのお店で買物しよう

うまくいかない時、なにもしたくない時、なんとなく元気が出ない時はどうすればいいですか?

自分のまわりに起こることは、なんでも情報です。

今の自分に必要なことです。

うまくいかせたいことがあって、やってみてもなんだかうまくいかないという時は、「ちょっと待ちなさい」という情報です。

「今はタイミングが悪いですよ」と知らせてくれているのです。

だから、へたに動かず、ちょっと待っていればいいのです。

うまくいかせたいそのことについて、今のあなたにできる一番良い方法は、「待っている」ということです。「待つ」と言うと、なにも進んでいないように感じるかもしれませんが、うまくいかせるために「待つ」のです。

「なんでうまくいかないんだろう」と悲しんだり、考えるようなことではありませんよね。

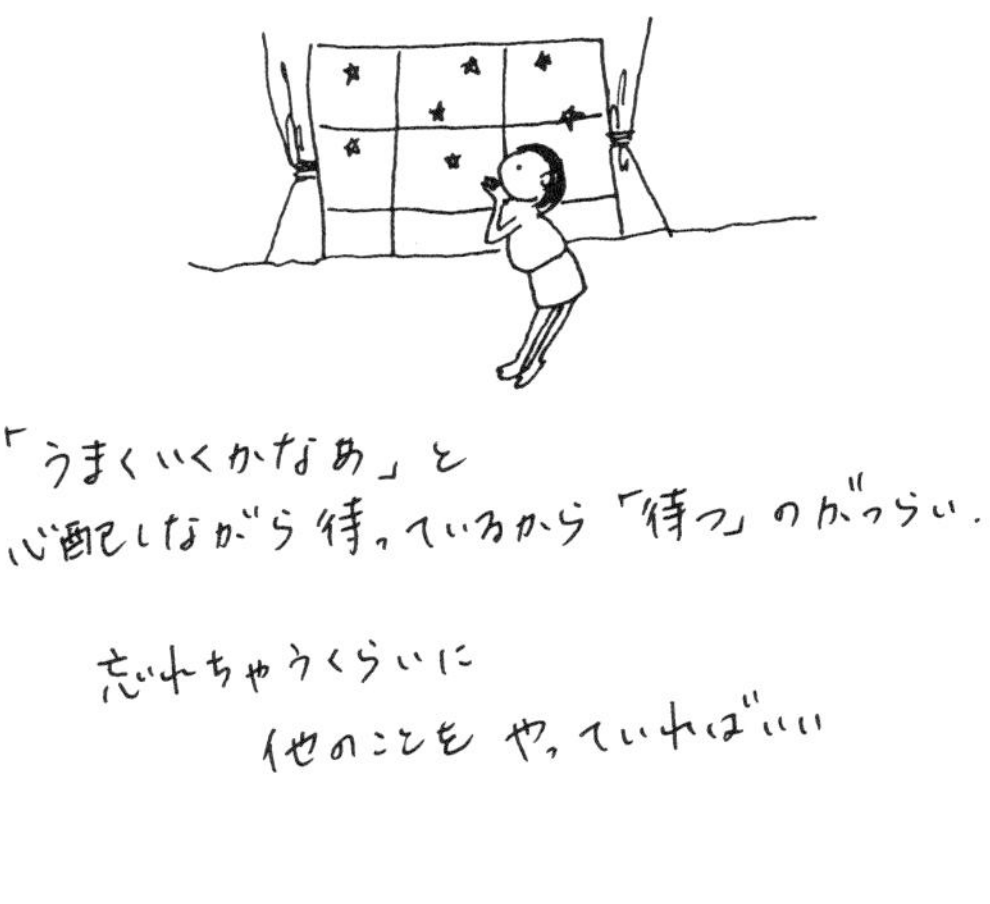
「うまくいくかなあ」と
心配しながら待っているから「待つ」のがつらい。
忘れちゃうくらいに
他のことをやっていればいい

なにもやりたくない時は、「なにもやらなくていいんだよ」という情報です。

やりたくないんだからやらなくていいし、気が向くまでほおっておけばいいんです。時間がもったいないと思うなら、その空いた時間に普段はできないことをしたり、ゆっくり休んでリフレッシュしたり、やることはたくさんあるはずですよね。

いいかげんに感じるでしょうか？　「気の向くままそうやって過ごして、ずっとやる気が起きなかったらどうしよう」と思うかもしれません。

でも、一生やる気が戻ってこないなんてことはありません。

むしろ「なんでやる気が起きないんだろう」と考えているほうが、心が暗くなるのでマイナスのパワーがたまり、精神レベルが下がります。

なんとなく元気が出ない時、これも「なんとなく」で大きな理由はないのですから、しばらくすればそこから脱け出すはずです。

頑張《がんば》って元気になろうとするから疲れるのです。

すべて、自分の心のままに、心が良い気分になるように行動することです。

どうすればいいのかを、自分のまわりのものごとが自然と教えてくれているなんて、こんなに楽なことはありませんよね。
「うまくできてるな」って思います。

どうすればタイミングをつかめる人になれますか?

運のいい人は、知らない間にチャンスをつかんでいるし、チャンス自体、他の人よりたくさんやって来ているような気がします。

なにかうまくいかせたいことがある時に、タイミングというのはとても重要です。どんなに準備万端であっても、ほんのちょっとタイミングがずれたためにうまくいかないこともあるし、逆にタイミングが良かったために、あっという間にするするとうまくいってしまう場合もあります。

でも、タイミングというのは目に見えない時間のずれなので、人間の力ではどうしようもないように感じます。

いつもは好きな牛丼も、
お腹がすいてなかったら
いりません
タイミング悪いね!

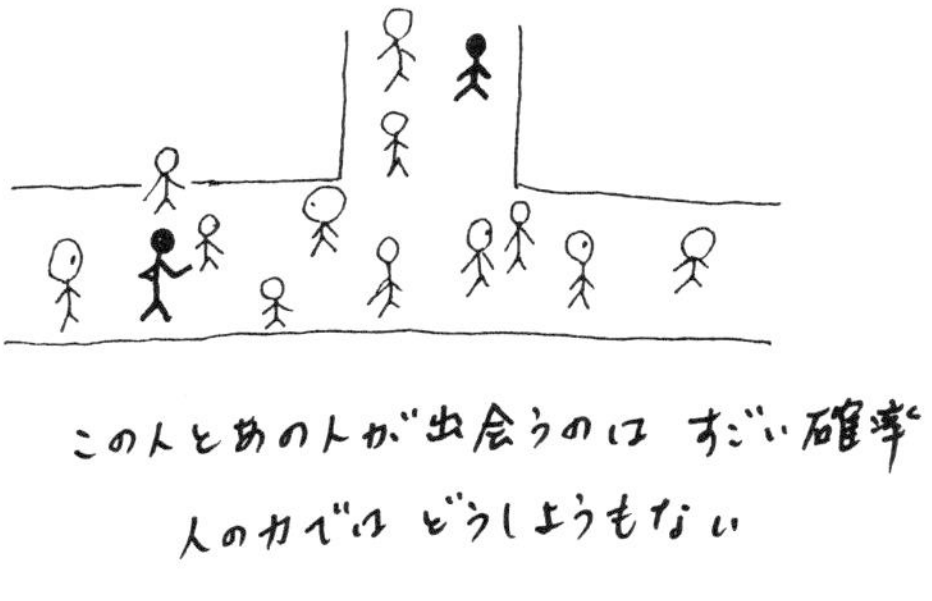
この人とあの人が出会うのは すごい確率
人の力では どうしようもない

ところが、**プラスのパワーをためて精神レベルを上げると、不思議とタイミングの良い時に動けるようになる**のです。

しかも、「今がタイミングの良い時かな」と自分の頭で考えなくても動けるようになるのです。

ここがすごいところです。

なんとなく思いつきでやったことも、後から考えると「すごくタイミングの良い時に動いていたなあ」という結果になります。自然に動いたその時がちょうど良いタイミングで、流れるようにことが運ぶのです。

これをまわりの人から見ると「あの人はチャンスをつかむのもうまいな、なにをやってもタイミングいいな」と思われるでしょう。「さぞ考えて、時期をうかがって、準備万端だったんだろう」なんて思いますが、本人にしてみると意外と大したことはなくて、「なんとなくやってみたらうまくいった」という状況が多いと思います。

特になにも考えていないのに、いつもタイミングがいい…、それはその人の精神レベルが高いからです。

それをやるのにタイミングの良いちょうどいい時に、「今やりたい、やろう」という気分に自然となるのです。

プラスのパワーをためて精神レベルを上げておけば、目に見えない時間のずれまで操作できる、つまり、人間の力ではどうしようもなさそうなタイミングも、実はその人の力だったということです。

不公平なことはなにもありません。

「自然の流れにまかせたほうがうまくいく」ってどういうことですか?

なにかをうまくいかせたいと思ったら、起こることをそのまま受けとめて、自然の流れにまかせておくのが一番うまくいく方法です。

と言っても、みんながみんな、ほおっておけばうまくいくわけではありません。

正確に言うと、

「精神レベルの高い人は、ほおっておいてもうまくいく」

ということです。

「自然の流れ」と言っても人それぞれ違うので、ほおっておいてもうまくいく自然の流れがほしいと思ったら、精神レベルを上げるしかありません。

プラスのパワーをつくって、不安や心配のマイナスを頭の中から追い出す、そうして精神レベルを上げておけば、そのあとは自然の流れにまかせてしまうのです。

精神レベルの高い人たちには、ほおっておいたら悪く流れてしまうような流れは、絶対にやってきません。

では、具体的にどうすることが「流れにまかせる」ということなのでしょうか。
例えば、同じ時期に違う友だちからそれぞれ旅行に誘われました。
時期がずれていれば両方とも行きたいし、どちらの友だちとも同じぐらい仲が良くて、本音で考えて、本当にどっちか決められないとします。
こういう時に、事実でない理由をなんとか考えて（例えば片方の人に都合が悪いとウソをつく、など）無理して片方に決めるのではなく、しばらくその問題から離れてほおっておくのです。自然の流れにまかせておくのです。

そうしておけば必ず答えがやってきます。

「直感を信じる」（88ページ）、「タイミングをつかむ」（98ページ）の項目にも通じるのですが、精神レベルが上がっていると、自分が必要としている時に必要な情報が必ず入ってきます。

片方の友だちに急に用事が入ったり、片方の計画が自然消滅したり、行こうと思っていた場所に台風がきたり（例えばですが）、内容はそれぞれ違いますが、必ずどっちにすればいいかの答えが出てくるので、少し待ってみればいいのです。

先日、面白いことがありました。

友だちと食事をしていて、わたしがふと「今年の夏はまだ花火に行ってないから、どこか行きたいのよね」と言ったら、「ちょうどいい!!」と友だちが喜びました。

花火に誘われていたらしいのですが、同じ日に別の友だちと会う約束をしてしまったらしく、しかも自分が言いだして人を集めてしまったので、今から日にちをずらすこと

ができなくて、「困ったな…」と思っていたそうなのです。

花火に誘ってくれた友だちはわたしたちの共通の友人だったので、代わりにわたしが行くことになり、「お互いに良かったね」ということになりました。

彼女にしてみれば、答えが出ないからそのままにしておいたら、わたしがタイミング良く「花火に行きたい」と言い出したわけです。

こんなふうに、答えがくるのです。

わたしにしてみれば、本当に花火に行きたかったから言っただけですが、彼女には「なんてタイミングのいい!!」ということだったのです。


もっと真剣なことについても同じです。

わたしの友だちに、レストランチェーンの会社から独立して、自分の店舗をオープンさせる準備をしている人がいます。

今まで自分が修業をしていた会社に、新しい自分の店にぜひ来てほしいと思うシェフがいました。

腕も経験もあるし人柄も気に入っているので、本当はぜひその人にたのみたいし、そのシェフも友だちの店舗でやってみたいという気持ちがあったのですが、さすがにお世話になったその会社からひき抜いてしまうわけにはいきません。たとえいざこざがなく移れることになっても後味が悪いし、なにより、「自分の中でずっと気になるのはいやだしな…」と思っていたそうです。

そこで、ほおっておくことにしました。

「自分にとって一番良いようになる、流れにまかせよう」という気持ちのスタンスにしたわけです。そのことは忘れて、それ以外の準備を進めていました。

そうしたら、そのシェフが働いていた店舗が今年いっぱいで閉店することになったのです。シェフにとっても仕事がなくなってしまうわけですから、友だちの独立はタイミングのいい話になりました。

次に、オープンの時期は今年の11月か来年の3月を予定していたそうなのですが、シェフが働けるのは前の店が閉店した後、12月からでした。

11月オープンには間に合わない、でもシェフにとっては3月まで無職になるのですぐに働きたい…、とここでもすぐに答えが出ないので、流れにまかせておくことにしたそうです。

そうしたらなんと、閉店の時期が9月に早まることになったのです。

これで、シェフにとっても友だちにとってもちょうどいいことになりました。

シェフ探しの段階で、「今は決められない」という流れの時に、それに逆らって無理して早く答えを出していたら、ほんの少しの時期のずれで、本命のシェフをのがすという結果になっていましたよね。

「あの時、待っていればよかった」ということになっていたはずです。

つまり、「答えが出ないな」という時に、無理強いをしないということです。

「今は決められない」ではなく、「今は決めなくてもいい」ということです。

これが**「自然の流れにまかせる」**ということです。

精神レベルが高くさえあれば、自分に一番良い結果になる自然の流れがやってくるので、答えが出ないときに心配する必要はないのです。

「わがままに生きていい」「頑張らなくてもうまくいく」って本当ですか？

わがままにと言うより、自分の心がうれしくなることをしていけばいい、ということです。

本音でいく、ということです。

「あの人は自分の好きなことだけやって、大して頑張っていないように見えるのに、どうしてうまくいくんだろう、いいなあ」と思う人がいるかもしれませんが、精神レベルの高い人には、前項目で書いたような「ほおっておいてもうまくいく自然の流れがきている」ので、必死になっていないのにうまくいっている、と見えるのです。

でも、この「ほおっておいてもうまくいく流れ」も、その人の力です。

頑張らなくても…というのは、もちろん努力しないということではありません。

ただ「なにがなんでも、絶対…」と必死にならなくても、精神レベルを上げておけば、タイミングやその他のいろいろなことがそろってくるので、スルスルとうまく運ぶようになるのです。

それに、自分の行いに気をつけてプラスのパワーをためているということ自体、ものすごく頑張っていることになっているんですよね。

「好きなことだけやる」と言っても、まわりを押しのけた上に成り立つような、そんな好きなことはうまくいきませんよね。それはただのわがままで、いつか必ず自分に返ってくるはずです。

ひどいことをしている人を見て、「あんな人には、いつかしっぺ返しが来る」と言う人がいますが、結果的にはそういう仕組みになっているのです。

高いレベルの自然の流れであれば、本音で好きなことだけをやっていても、うまくいくし、それはわがままではありません。

心が喜ぶとおりをしているだけです。

精神レベルを上げる努力もしているし、かなえたいことに具体的に頑張っているのに、それでもうまくいっていないような気がするのは、自然の流れに逆らっているからだと思います。

106ページのレストランの話のように、やることをやっても答えが出ない時は、逆らわずに待ってみることです。

自分に起こることはすべて情報なので、淡々と受けとめて無理強《じ》いをしないことです。

ねエ、どうしたいの？
ホントはさら

迷った時はどうすればいいですか?

（この項目は、「『自然の流れにまかせたほうがうまくいく』ってどういうことですか?」（102ページ）と合わせてお読みください）

両方にメリットとデメリットがあって決められない、こういう時は、本音と直感で選ぶべきです。

「なんとなくこっちがいい気がする」と思うなら、そっちでいいのです。

「なんとなく」というのは、頭では考えていない直感、すごい情報なので、それを信じて正解なんです。

本音で「どっちでもいい」と思う場合もありますよね。

こういう時は、精神レベルを上げながら、答えが出るまでほおっておくことです。

もうひとつ、似ている話を紹介しましょう。

独立して起業を考えている友だちが、いつ会社を辞めるのがいいか迷っていました。

次のプロジェクトが始まる前に辞めるべきか、関係のあるプロジェクトなので次も担当してから辞めるか…、会社の人たちとの関係をくずさないようにするには…などなど、どっちがいいのか決められないと言うので、

「今決められないなら、今は決める必要ないってことじゃない？」

「そうね、そのうち答えが来るわよね…」

と、待ってみることにしました。

そして１ヶ月が経った先週のこと、ひとつのプロジェクトが終わった時に、チームの人数を減らす話が上司から出たそうです。みんなそのチームでやっていきたいのにどうしても減らさなければならない…、「それなら…」と友だちがぬけたそうです。

「こんなにタイミング良く辞められるとは思わなかった、待ってて良かった」と言っていました。

こうして待っていれば必ず答えが出るのですが、実は、**そのレベルでやってくる迷いごとというのは、本当は、どっちを選んでも大した差はない**のです。

はじめから、そのレベルにふさわしい選択肢《し》しかやってこないからです。

ＡとＢでＡを選んだ時、「やっぱりＢにすればよかったかな」と直後に思ったとしても、あとから考えると「どっちもあまり変わらなかったかもしれない」という結果になります。Ｂを選んでいても、きっと同じように思うことでしょう。

どちらもそのレベルでやってくることなので、はじめから大した差のないふたつが選択肢になっているのです。

そのレベルに不相応な信じられない幸運や、似合わない悲劇なんてことは、はじめから混ざってくるはずないのです。

だから どっちでも同じで
つまんない…
ってことではなくて

どっちにしても
自分次第だから
楽しい〜♪ってこと.

精神レベルが上がってくると、それまでは「絶対あれがいい、かなえたい、こうしたい」と思っていたことが、「あれが絶対いいってわけでもないかもしれない」と気づいたりします。

その時に迷っていたことは、レベルが上がると「あんなことはどっちでもよかったな」

とわかったりするのです。

これに気づくと、レベルの低かったあの時にAを選んでもBを選んでも同じようなものだったな、とわかります。

大きなことほど考えこみたくなりますが、自分のレベルにふさわしいことしか引き寄せてこないので、本音のままで好きなほうを選べばうまくいくし、好きなほうがわからない場合は、必ず答えが来るので安心して待っていればいいんですよね。

楽だなあ、と思いませんか？

嫌なことはやめてしまっていいんですか？

自分が「嫌だなあ」と思うことをやっていると、気分が悪いのでプラスのパワーがたまりません。

だから、**「なんだか嫌だなあ」と思うことは、やめてしまっていい**のです。

もちろん、その時の自分の役目（例えば学生だったら勉強とか）はやらなくてはならないし、遊んで暮らして良いということではないですが…。

ここで言っているのは、自分で選べることの場合です。

友だちに食事に誘われた時、メンバーの中にあまり好きじゃない人がいるとします。「あの人がいるから、あまり行きたくないなあ」と本当に思うのであれば、行く必要はありません、というより行かないほうがいいのです。

行って嫌な思いをしたり、イライラするのであれば、行かないほうがいいのです。

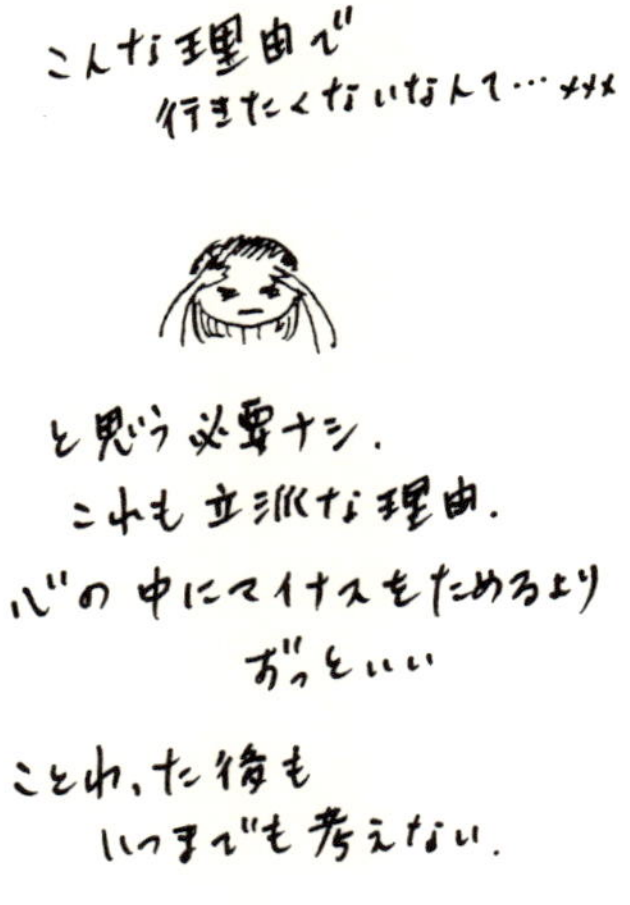
こんな理由で
行きたくないなんて…
と思う必要ナシ。
これも立派な理由。
心の中にマイナスをためるより
ずっといい
ことわった後も
いつまでも考えない。

とにかく本音の通りにするということです。

「本当はやりたくないのよねえ」と少しでも思っていると、それは外に表れます。

また、自分の心とまわりに起こるものごとはつながっているので、いやいややれば、きっとうまくいかないでしょう。

いやいややって、結果もうまくいかなくて嫌な気持ちになるのなら、はじめからやらなければいいのです。

結局、ここでも自分の本音の通りに動いたほうが正解、っていうことです。

自分が「いやだなあ」と思っていることをためしにやってみても、そのほとんどが「ちっとも楽しくなかった…」という気持ちで終わることに気づくでしょう。

「いやだなあ」と感じる、これも情報なので、自分の感じるままに動くことを恐れないことだと思います。

第2章

恋愛編

出会いも自分で決められる！

結婚前の今こそ精神レベルを上げよう！――この章を読む前に

20代、30代の女性の関心事は、なんといっても「結婚」のようです。
誰だって幸せな結婚をしたいし、それは自分にうちこめるものがあるということとは別の話ですよね。専念できる生きがいのようなものがあっても、それはそれ、結婚は結婚という人がたくさんいると思います。
わたしだって人並みにいろいろ考えて夢いっぱい…ですが、読者の方々からのお手紙に、こんなにまで結婚や恋愛について書かれていることには驚きました。

今までたくさん精神レベルについて書いてきて、自分のまわりに起こるものごとや人はすべて自分のレベルにふさわしいことだ、と書きましたが、男の人と女の人の間、いわゆる「男女間の話」はちょっと特別なんです。

というのは、男女間の話は精神レベルの話だけでは終われないからです。

そこには、前世からの因縁《いんねん》や邪霊など、目に見えないものも影響を与えているからです（詳しくは『あなたは絶対！守られている』（グラフ社）を参照してください）。

精神レベルの高い心の豊かな人、人格的にも素晴らしい人が、まわりから見て「どうしちゃったんだろう…」というような異性に夢中になってしまったり、うまくいかない人をいつまでもいつまでも追いかけていたり、このような現実があるのは、その人の精神レベルだけでは片付けられない因縁や邪霊が関係しているから、のようです。

男女間の愛情だって人間愛や人類愛と同じでなくてはならないのに、相手を愛するあまりに誰かを傷つけたり、恨《うら》んだり、憎《にく》んだりしてドロドロする、ということにまで発展してしまうこともあるんですよね。

また、「人は修行させられるために結婚する」という言い方もあるぐらい、結婚というのは自分を成長させるためのもの、というのも本当のようです。

つまり結婚というのは、前世からの因縁や邪霊などを全部ひっくるめて自分を成長させるためのものなので、精神レベルの側からだけでは語れない、というわけです。

「じゃあ、因縁や邪霊がある限り、精神レベルを上げたってどうしようもないじゃないの」というとそうではなくて、やはり精神レベルの高い人は、そういう目に見えないものの影響を受けたうえでもレベルの高い人とめぐりあい、スルスルとうまくいくのです。

「結婚」というのは、ふたりで小さな幸せを積み上げていくものだと思います。

わたしだってこれからですから、むずかしいことはわかりません。

でも、小さな幸せを積み上げていくためには、自分の本音で居心地良く感じる相性の良い人といるのが一番だろうな、と思います。

「相性が良い」ということは、自分も相手も性格をそのまま表に出したうえで、一緒にいると居心地良く楽しい、というような人を言うのだと思います。

このような人と出会うためにも、出会ってうまくいかせるためにも、やっぱり精神レベルを上げて自分を高めておかなければ話にならない…というわけです。

いい人、素敵な人とめぐりあうにはどうしたらいいですか？新しい出会いがいつなのか知りたいのですが…

自分のまわりには自分の精神レベルに応じたものしか寄ってこないので、いつも一緒にいる友だちも、新しく知り合う人も、まわりにいる人たちはみんな自分のレベルに合った人たちです。

精神レベルの違う人同士が、知り合うことはほとんどありません。

少しの違いなら知り合う時もありますが、レベルのかけ離れている人同士は、たとえ隣りの席に座ったとしても、関係が深くなるようなことはないのです。

あなたが今の時点で思う「いい人」というのは、同性でも異性でもあなたよりレベルが上の人です。

だからそんな人とめぐりあうためには、自分のレベルを上げるしかありません。

よく「自分を磨け」とか言いますが、精神レベルを上げて、すべての面においてランクが上がると、それにふさわしい人と自然とつながるということだと思います。

これは、学歴、職種、外見、育ってきた環境にはまったく関係ないことです。

どんなに環境が似ていても、つり合っているように見えても、精神レベルが違う人同士は知り合ってもそれ以上の深い関係にはならないのです。

だから、安心していていいと思います。

不公平なことはなにもありません。

「あの人ばかり素敵な出会いがある…」と思うのは、あの人自身が素敵だからです。

あの人の精神レベルにふさわしい人がまわりにいるのです。

ためしに、レベルの低い誰かがそこへ入っていったとしても、知り合いはするでしょうが、それ以上の関係、まして恋愛関係になんてならないと思いますよ。

まわりにいる人も、全部自分が決められるのですから、どんどん自分の精神レベルを上げることです。精神レベルがグッとあがると、性別に関係なく今までとは違う交友範囲が広がっていくことを感じるはずです。

ステキな人達の集まり
精神レベルの
高い人たちは
拒絶はしない.
でも長続きはしない
どんなにキメていても.
成功していても
深いつき合いには
ならない

47ページのようにプラスのパワーをつくることは、恋愛の分野にも必ず効果があります。

「これ以上できない…」と思うぐらい、精神レベルを上げることです。

ぱっと心（意識）の体勢をきりかえれば、今日からでもプラスのパワーはつくれるので、「新しい出会いがいつなのか…」というのは、結局自分次第ということですよね。

今すぐにでも始めれば、それだけ出会いも早いですよね。

大丈夫
いつかは　うまくいく

「縁《えん》」ってなんですか？
「縁のある人」って、なにか意味があるんですか？

なんだか共通点が多かったり、学校や職場は違うのに知り合いが重なっていたり、意外な所でしょっちゅう会ったり、そういう「縁があるなあ」と思う人ってたまにいますよね。

「縁」というのは、現世（今生きている世界）だけの話ではありません。

今の人生でなんのつながりもないのにこういう人がいるということは、前世（前の人生）でなんらかの関係があったのです。

前の人生で関係があったからこそ、今の人生でもまた出会うことになる、その関係が深かったなら深いほど、今の人生でも不思議な共通点があったり、ばったり出会うことが多いのです。

「袖《そで》触れ合うも他生《たしょう》の縁」という言葉があります。

通りすがりにちょっと袖が触れ合うぐらいの人でさえ、前世でなにか関係があった人だとすれば、不思議な共通点の多い人と、なんの関係もないはずがありません。

前世は誰にでもあるのですから、「縁のある人」というのも誰にでもいます。

でも一言で「縁」と言っても、良い縁、悪い縁、くされ縁のようなものまで様々なので、縁があるから自分に良い影響を与えてくれるとは限りません。

まして、「縁があるから恋人になればうまくいく」とか「縁があるから、必ずそういう関係になる」とは言えません。

ただ、共通点が多いので仲良くなるきっかけはたくさんありますよね。

似ているところが多いと、それだけでホッとしたりめぐり合わせを感じたりするので、一気に距離が近づくこともあるでしょう。

でも、ここでも相手と自分の精神レベルが関係してきます。

精神レベルがかけ離れていれば、どんなに縁のある人でも、同性異性に関係なくうまくいかないのです。

前世からの縁があるから今の人生でも出会いましたが、そこから先はその人たちの精神レベルの問題です。

つまり、「縁がある」というのは知り合うきっかけになる程度のことなので「縁があるからうまくいく」とは言いきれません。

会えば
なんだかんだドロドロするのに
また そこに戻っちゃう人、
会ってしまう人がいるとすれば
それは くされ縁かも。

切っちゃえば？
そのほうが いいのかもね.

人だけではなく、「はじめて来た所なのになんだか懐かしい」と感じるような場所も、いつかの人生で自分に関係のあった所なのです。

どうしても気になるもの、好きな場所や物、こういうものは以前関わっていたから気になるので、前世からのお知らせなんですよね。今の人生では説明がつかないから「なんとなく…」なんですよ。

「なんとなく…」って、すごい情報なんですよね。

人やものに対してのこのような気持ちは、思いこみや気のせいではないということです。

「生まれつきの才能がある」とか、経験はないのにやってみたら上手だった、人より抜き出ていたという場合も、それを前世でやった記憶があるから、はじめてなのにうまくできてしまうのだと思います。

どんなことでもくり返せば上達していくわけですから、前世でやったことのあるものは、現世でもうまくいくのです。

だから、「縁があるなあ」とか「なんだか好きだなあ」と感じるものは、本音のままにやってみると、たいていうまくいくでしょう。

ここでも、本音のままにいくということです。

恋は偶然から起きるものですか?

「偶然から始まる恋」はあると思います。

でも、その「偶然出会う人」というのは、自分と関係ないところからやってくるたまたまのことではなくて、前項目にも書いたように、「自分に関係のある人」だということです。

「偶然」と言うと、なんの意味もなくたまたま起こること、ととらえている人がいますが、「偶然」というのは、自分では予測できなかった出来事のことです。

事前に予測できなかっただけで、意味がないということではありません。

前世からの関係もすべて含んで、自分と縁があるから出会うのです。

自分のまわりに起こることで意味のないことはひとつもないし、なんの意味もなく出会う人というのもいません。

たまたま飲み会で知り合った人と恋に落ちる、電車で隣に座った人と恋に落ちるというような「たまたま」と感じる出会いでさえ、意味もなく出会っている人はいないのです。

嫌に感じる人との出会いでさえ、自分にもその人と同じところがあるから出会ってしまったわけで、気づかせてくれるために出会ったのです。

だから、人と知り合うのには三つのパターンがあると思います。

①前世も含めて自分と縁があるから出会う人

②今の自分の悪いところを気づかせてくれるために出会う人（自分の短所を指摘してくれる、ということではありません。同じ嫌な部分を持っているから、引き合ってしまう、嫌だなと一見感じる人のことです）

③精神レベルが同じだから出会う人

起こるものごとと同じように、自分の精神レベルにふさわしい人としか知り合わないようになっています。①も②も結局は自分と精神レベルが同じでなければ出会わないのです。

だから、偶然から始まる恋だってもちろんありますが、「意味のないたまたまの出会い」ではない、ということなんです。

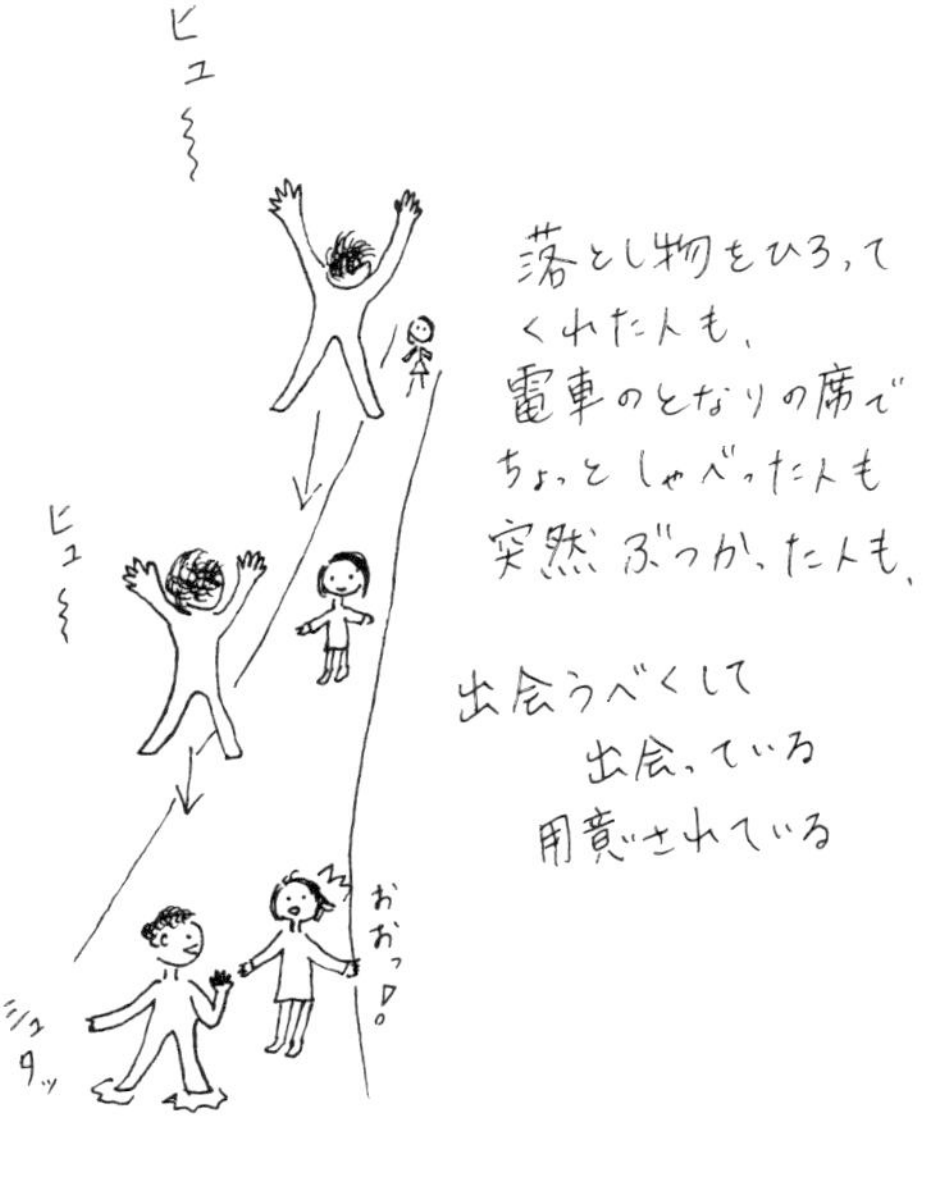
ヒュ〜
ヒュ〜
落とし物をひろってくれた人も、
電車のとなりの席でちょっとしゃべった人も
突然ぶつかった人も、
出会うべくして出会っている
用意されている
おおっ!
シュタッ

「運命の人」っているんですか？　どうしたらわかるんですか？　今つき合っている人が運命の人かどうか知りたいのですが…

相手が自分の運命の人かどうかを知りたければ、相手と自分に不思議な共通点があるかどうか考えてみてください。

育ってきた環境や現在がすごく似ていたり、その時々で思う感じ方がそっくりだったり、ばったり出会うことが多かったり、交友範囲が重なっていたり、すぐに意気投合したり、とにかく似ているところがたくさんある、こういう人はあなたにとって「運命の人」と言えるでしょう。

でもここで勘違いしやすいのは、運命の人＝結婚する人、というとらえ方です。

不思議なつながりのある運命の人と必ずゴールインするとは言えないのです。

どういうことかと言うと、「運命の人」というのは、「すごく縁のある人」ということだからです。

ただ単に深い縁があるから盛り上がり、もちろん恋愛に発展する可能性も高いかもしれませんが、うまくいくかどうかは、結局お互いの精神レベルにかかっています。

２、３年前のことですが、わたしの友だちが自分とすごく共通点の多い異性と出会いました。
感覚も似ているし不思議な一致がとにかく多いので「わたしの運命の人だ」と感じたそうで、すぐにお互い盛り上がり、恋愛関係になるのは時間の問題、という状態でした。

でも何度か会ううちに「価値観や感じ方はぴったりだし、学んだこともあったけど、なんだか違う」と思い始めて、結局、恋愛関係にはならなかったのです。

出会った時の２人の盛り上がり方から考えると、つき合うことにならなかったなんて考えられない、という感じでした。

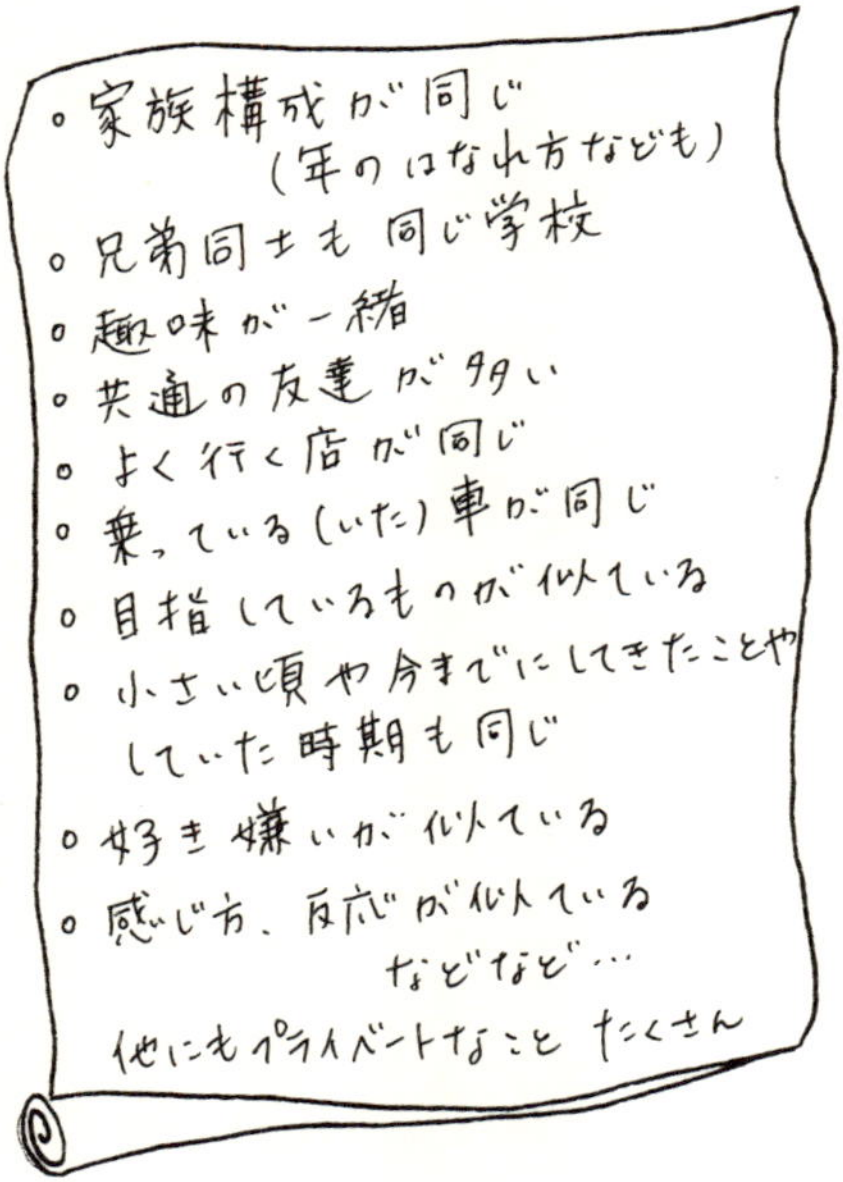
○家族構成が同じ
（年のはなれ方なども）
○兄弟同士も同じ学校
○趣味が一緒
○共通の友達が多い
○よく行く店が同じ
○乗っている（いた）車が同じ
○目指しているものが似ている
○小さい頃や今までにしてきたことや
していた時期も同じ
○好き嫌いが似ている
○感じ方、反応が似ている
などなど…
他にもプライベートなこと たくさん

ウッソ…
え…
わたしも♡

「運命の人」というのは、「縁があって、自分に影響を与えてくれる人」です。

出会った時は、お互い同じような精神レベルだから出会ったわけですが、つき合っているうちにどちらかの精神レベルが上がれば、その人を卒業していくわけです。

もちろんお互いのレベルが同じように上がっていけば長続きするので、結婚することもあるでしょう。

スルスルとことが進んで結婚した後に「あの人はわたしの運命の人だった」と言ったりしますが、それは「縁のある人だった」という意味で、お互いの精神レベルが合致していたからこそうまくいったのです。「運命の人」だったからうまくいったのではないし、「自分と結婚することが決められていた人」という意味ではありません。


自分のレベルが変化していけば、そのレベルレベルで運命の人はいるので一人だけではありません。

つまり、**「その人をのがしたら、もう運命の人はやってこない」なんてことはないし、自分が精神レベルを上げさえすれば、もっと上のレベルの「運命の人」に出会えること**になるのです。

好きな人と結婚すれば幸せになれるのですか？どうして恋には終わりがあるのですか？

その人と結婚して、自分が幸せだと思えば幸せなことですよね。

好きな人と結婚したから必ず幸せになるとは限らない、なんていうことは誰でもわかっているし、結局は、そうなった後の本人の考え方です。

いつも他人のことをうらやましく思っていれば、それがその人の「思いの型（59ページ）」となり、どんな状況になっても「他人をうらやましく思う現状」が引き寄せられてきます。

同じ環境になっても、幸せに感じる人と感じない人がいるということです。

本人が、「幸せだ」と今瞬間でも思えば、もう幸せですよね。

人にはそれぞれ精神レベルのらせんがあって、それが重なる部分がある時に、他人とぐっと仲良くなったり、異性の場合は恋愛感情をもったりする、とわたしは考えています。

その盛り上がった時に恋愛関係になったり結婚する人もいますが、どちらかの精神レベルが上がっていくと、今までの人では物足りなくなったり、なんだか噛《か》み合わなくなったり、もっと上が見えてしまうこともあります。

これは欲張りでもなんでもなくて、自分のレベルがその人を超えてしまったからで、そうなるのは当然なんですよね。まあ、たいていの場合は、つき合っている２人は影響し合うので、片方だけが上に上がっていくということは少ないと思います。逆に、片方が上がろうとしても足を引っ張られていることがあるくらいです。

２人のかけ離れ具合がはげしくなると、その人を卒業したので魅力を感じなくなり、関係が薄くなっていくのです。

でも、当人たちは「どちらかのレベルが上がったからだ」とはなかなか思わないので、突然タイミングがくるったと感じたり、相手の言うことなどが理解できなくなって、「恋が終わった」と感じるのでしょう。

彼の
高さは
変わってない

精神レベルがかけ離れている同士は、自然とタイミングもずれるし、高い人には低い人が腹を立てていることが理解できないからです。

すべて、精神レベルのずれから起こることなので、「なんで終わっちゃったんだろう」というようなことではありません。

片方の精神レベルが上がっていく時に、お互いが成長し合って引き上げていくつき合いができれば、終わることもありませんよね。

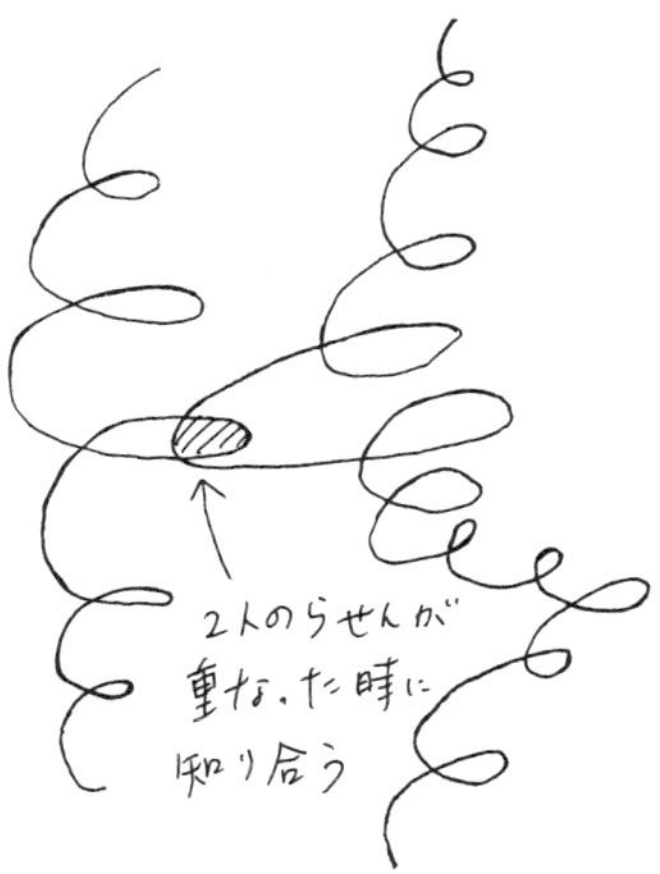
2人のらせんが
重なった時に
知り合う

片思いが楽に感じる考え方、失恋から立ち直る考え方はありますか？

自分に起こることは、すべて自分に必要なこと、プラスのことです。

と言っても「失恋こそ、今のあなたに必要ですよ…」なんて、いきなり言うつもりはありません。

失恋のショックから立ち直れないのは、「なにがなんでもその人がいい」と思っているからで、その人以外に素敵な人は考えられないからですよね。その人と結ばれることが絶対幸せだと思っているからですよね。

でも、本当にそうでしょうか。

今の時点で「絶対、絶対…」と思いこんでいるその人が、これから先には二度と出てこない、これ以上ないくらいの最高の人かどうかはわからないですよね。

もちろん、自分の判断基準でそう思えれば、それでいいのです…。人の好みはまちまちだし、他人に「最高」と思われる必要はないですよね。

でも、今のあなたが考える「最高に素敵な人」というのは、今のあなたのレベルで考える「最高の人」なんです。

自分のレベルがこれからどんどん上がれば、考えられる「最高の人」というのも変わるし、現実にもっと素敵な人と出会うはずです。

「あの人以上に素敵な人はもう出てこない気がする」

というのは間違いで、自分のレベルが上がっていくと、それにともなうふさわしい人が必ず出てきます。

後になってから出会う人のほうが、レベルが上であることを感じるはずです。

だから、今の時点で相手とうまくいかなくても、落ち込むことではないと思います。

そんな時ほど精神レベルを上げれば、なんであの人がそんなに良いと思ったのかなあ、と見えてきたりします。

そして、自分のレベルが上がれば、もっと上の人とこれから出会えます。

人に起こることはらせんのようなものなので、新しく出会う人が同じような人に思えても、前回より必ず上のらせんにいる人なんです。

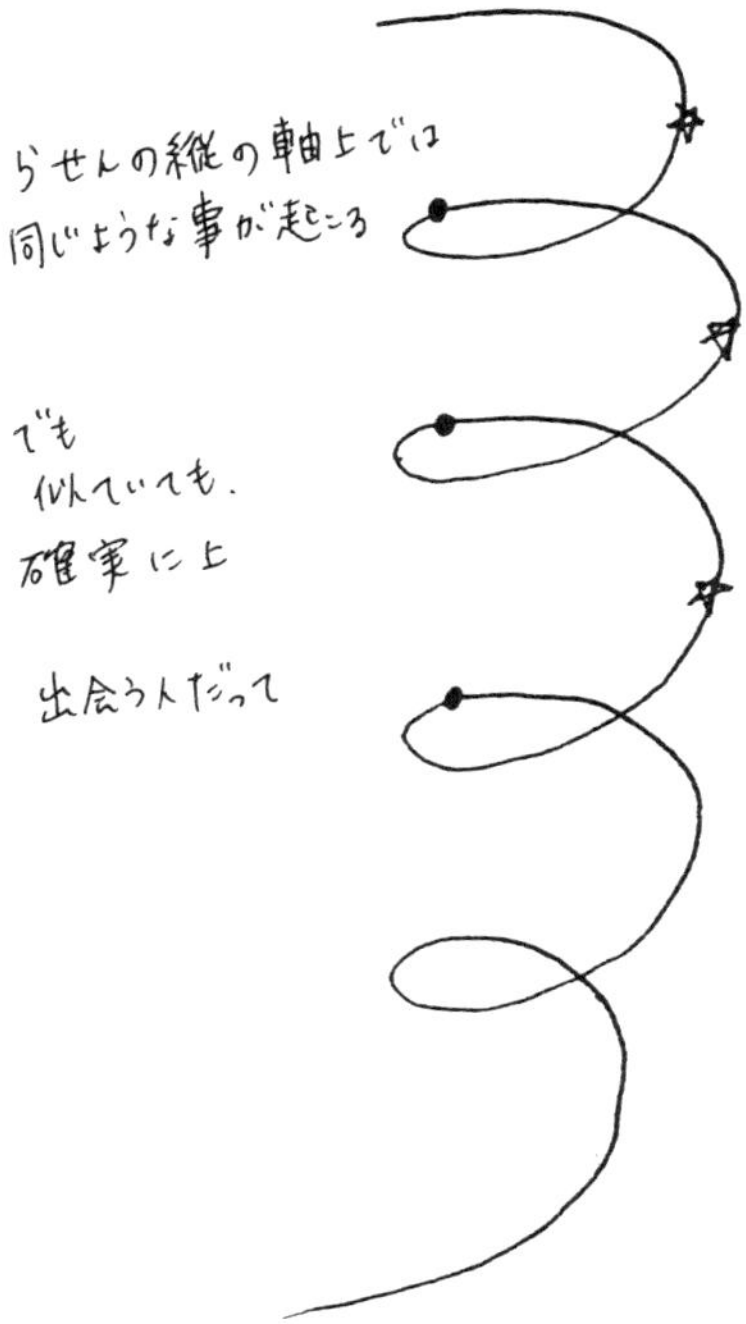
らせんの縦の軸上では
同じような事が起こる
でも
似ていても、
確実に上
出会う人だって

相手のほうがレベルが上でうまくいかないこともたくさんあります。

そういう時は、落ち込んでいる暇なんてなくて、せっせと自分のレベルを上げればいいのです。

不思議なもので、自分のレベルが、当時はうまくいかなかった前の人のレベルを追いぬいてすっかり忘れた頃になると、前のその人からまた連絡があったりするのです。上と下が逆転するんですよね。

そして、自分のレベルが上がると、「あの時に絶対幸せと思っていた状況って、そうでもなかったみたい」ということに気づくはずです。

自分のレベルが上がると、自分が望む状況も変わってくるからです。

「あの時にうまくいかなくてもよかったんだなあ」と思うようになります。

これは、自分をなぐさめるとか時間がいやしてくれた、なんていうことではなくて、本当に心から「これでよかった」と思えることがやってきます。

例えばもっと上のレベルの人と知り合って、「あの時あの人とうまくいっていたら、こんな素敵な人とは出会えなかったかもしれない」なんてことになるでしょう。

今のレベルでの失恋は、「あなたがもっと上の精神レベルになれば、もっといい人がやって来ますよ、今のその人とはうまくいかなくてもいいのに…」という情報かもしれないですよ。

大丈夫
悪いようにはならないから

気持ちを伝えるにはどうすればいいですか？好きな人の前だと緊張してしまいます好きなのに素直になれないのはなぜですか？

好きな人の前だと緊張するというのは、相手に良く思われたいと思っているからですよね。

普段の自分でないことをやろうとするから、慣れていなくて緊張するわけです。本音の自分ではないことをやろうとするのは、「本音でやることが一番うまくいく」ということが、ぼんやりとしかわかっていないからです。

「彼の好きなタイプの女の子を演じたほうがいいのか…」という話題は、若い世代には必ず出てきますが、どんなに頑張って振る舞ってもレベルの違う同士は結局うまくいかないと思います。

逆に、彼の好きなタイプが大人しいかよわげな女の子だろうと、活発な男勝りの女の子であろうと、精神レベルが噛み合っていればうまくいくはずなのです。

これは、「いつか本性がばれてしまう」という表面的なことではなくて、もし最後までそれでやり通せたとしても、レベルがずれているとあと少しのところでうまくいかなかったり、それこそタイミングがずれて形にならない、ということです。

普段の自分でも、相手の好きなタイプを演じていても、結局はお互いの精神レベルにかかっているのなら、自分らしく本音でいくほうがいいし、そのほうが楽ですよね。

そんなことで本当に気持ちが伝わっているのかとも思いますが、心の中で心底思ったことはその瞬間に伝わっています。

43ページに紹介した嫁と姑の話や44ページの家出息子の話もそうですが、思いが態度に出ているから伝わるだけではなく、人の意識はパワーなので、時間や空間に関係なく相手に届き、人に影響を与えることができるのです。

昔の物語には、あまりにも誰かを憎く思った結果、その思いが通じて相手が死んでしまうというような話がたくさんあります。世間一般に言う「のろい」というのも、人のマイナス意識の力が究極に強く働いた時に起こることです。

人の思いや意識には、本当はそれぐらい強い力があるものなので、本音で心から思っていれば、通じているはずなのです。もし人の意識に色がついていて目に見えるとしたら、露骨で丸見えで恐ろしくなるだろうな、と思います。

だから、伝わっているかどうか心配する必要はありません。

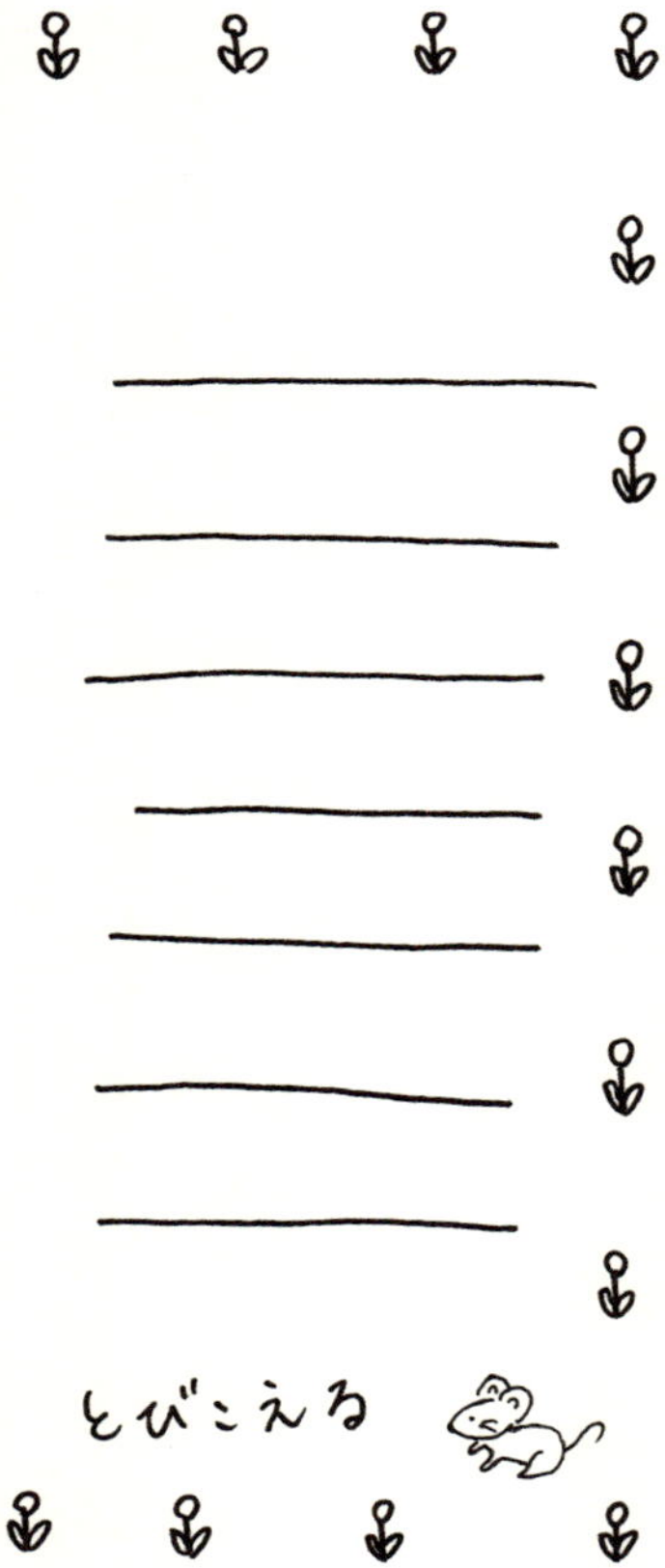

あの人に どんなことを伝えたい!?

心底 思っていることは

時間も空間も

恋人がいる彼を好きになってしまったら、どうすればいいですか？

どうすれば…って、恋人がいるからやめたほうがいいのか…、ということでしょうか？

相手が結婚している場合はまた違いますが、恋人がいるからやめよう…とは考えなくてもいいのではないですか？

だいたい、今の時代は本当に自由…と言うか判断しづらい時代で、食事に誘われたから、携帯番号を聞かれたからというだけで、すぐ恋人関係に発展するというわけではありませんよね。

携帯もメールもなかったわたしの母親の時代は、家に電話がかかってきて食事にでも誘われればほぼ決まり、というわかりやすい時代で、ましてまわりも知っている男の人がいたら、もうあの人たちは恋人同士…ぐらいの感覚だったそうです。

　今の時代は、相手に恋人がいると言っても、その関係がどこまでのものだかは本当にはわからないし、ほかに魅力的な人がいれば、関係が終わるかもしれないですよね。

わかりにくいよ
はっきりしてら

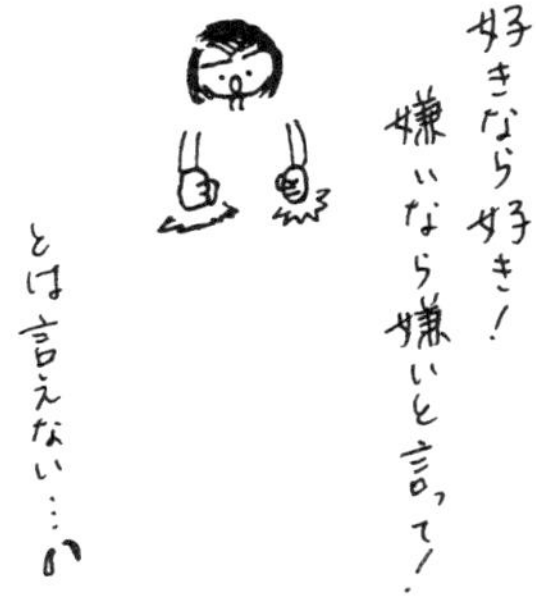
好きなら好き！
嫌いなら嫌いと言って！
とは言えない…

つまり、判断するのは相手なので、好きな人に恋人がいるとかいないとかは、本当は関係ないとわたしは思います。

ただ、相手の恋人に対して嫌な感情を持ったり、なにがなんでも…というスタンスになると、それはマイナスのパワーになります。

先ほどから何回も書いていますが、そんな状態でうまくいかせたとしても、たまったマイナスパワーの影響で、生活のほかの部分で嫌なことが起こったり、必ず自分にかえってきます。

マイナス感情を持たないで頑張るためにも、相手の恋人のことは考えずに好きでいればいいのではないでしょうか？

そして、最後は流れにまかせることだと思います。

だんだんと相手と合わない部分を感じたり、「うまくいかないかもな…」という答えが自然と出ているのに、障害があるとますます燃えてしまう人っていますよね。

相手のことが本当に好きなのかどうかもわからなくなっているはずなのに、意地を張ってしまう…。

自然の流れで出た答えは正しいので、こういう時にどんなに頑張っても、その時点でのその人の精神レベルでは絶対うまくいきません。

つまり、うまくいく場合は、相手に恋人がいようといまいとうまくいくはずなので、「恋人がいるから」という理由でやめる必要はない、とわたしは思います。

第3章

友だち・人間関係編

苦手な人はいなくなる！

人と人が知り合うのには、なにか意味がありますか？自分は人からどう見られているか知りたいのですが…

自分のまわりにいる人は、自分のレベルにふさわしい人です。

友だちはみんな自分の鏡です。

「なんであんなに嫌な人がわたしのそばにいるんだろう」と思うのは、あなたにも同じような嫌な面があるから、同じ種類の人を引き寄せているのです。類は友を呼んでいるのです。

自分のまわりに「あの人はいい人だなあ」とうれしく思い、大切に感じる人がたくさんいれば、自分もそう思われているはずです。

人間関係にトラブルがある場合は、自分がマイナスのパワーをつくる生活をしているからです。

こんな小さなことだって、
精神レベルが高いと 起こらなくなる
気をつけろっ
ドンッ

精神レベルが上がると、自分の交友範囲が変わってきます。

今まで知り合わなかった世界の人と知り合ったり、ずっと連絡のなかった人と関係が戻ったりします。

起こるものごとが変わってくるように、人間関係にも動きが出てくるのです。

新しく知り合う人の中には、自分よりずっと素敵な人や、心の豊かな人や、裕福な人や、とにかく今までの自分のまわりにはいなかった種類の人たちがいるでしょう。

上がったレベルにふさわしい人間関係が広がっていく、ということです。

このような素敵な人と出会った時は、自分のレベルをしっかり維持していないと、関係は続きません。いつまでもおつき合いしたいと思ったら、せっせとレベルを上げることです。

あの人いやだなあと思っていた人とは、自分の精神レベルが上がると自然と関係が薄くなっていきます。

例えば、その苦手な人から電話がかかってきて会う約束をしても、相手の都合が悪くなって日にちをずらすことになる、ずらしてもまた都合が悪くてながれる、そういうことが重なって、いつのまにか縁が切れるのです。

こういうことが起こった時に、「なにか怒らせるようなことをしたかな、自分が悪いのかな」と考える人がたまにいますが、自然に離れていく人はレベルが違うので、追う必要はありません。

自分から遠ざけようとしなくても自然と離れていってくれるので、すごく楽です。

「気づいてみたら、最近連絡ないなあ」という感じです。

ほおっておいても自分に都合がいいようにまわりが動いていく、これがプラスのパ

待って、
頑張るから

ワーのすごいところです。

結局、同じような心のレベル同士の人がグループになっているので、どんなに近くにいても、レベルの違う人には入りこめないのです。

逆に言えば、今の自分には縁がない人と思っても、レベルを上げれば必ずつながってくるはずです。

誰とでも仲良くしたいのですが、どうしても苦手な人がいます 人間関係で悩んでしまうのはなぜですか？

その人とトラブルがあったわけではないのに、なんとなく苦手な人っていないでしょうか。

会うと疲れる、相手のトラブルに巻き込まれそうになる、やる気をなくす、このような人と会うことは、あなたにとってマイナスです（会ってもつまらない、というのは違いますよ）。

はっきり言って、**あなたがこう感じる人は、あなたより精神レベルが下なのです。**

だから会うと気分が悪かったり疲れたりするのです。

なんだか嫌だなと思う人と長い間一緒にいると、イライラしてマイナスのパワーがたまるので、相手に引っ張られて自分のレベルが下がります。

だから会いたくないと思ったら、会わないほうがいいのです。

この手の話になると、「自分の利益になる人としかつき合わない」という話かと思う人がいるかもしれませんが、ここで言っているのは「なんとなく苦手な人、理由はないけど会うと嫌な気持ちになる人」のことです。

「理由もないのに、なんであの人に会いたくないんだろう。こんなことを感じるわたしは性格が悪い…」なんて思う必要は、まったくありません。

人づき合いも、自分の心が本当にうれしいかどうか、本音で判断すればいいのです。

もし、嫌だなと思う人とどうしても会わなければならない状況になってしまったら、相手の言うことに左右されないこと、深入りしないことです。

例えば、その人が誰かの悪口を言い出したら要注意、一緒になって言っていたら、自分のレベルも下がります。話を合わせるためだとしても、言葉には「言霊」があるので、自分の心の中にどんどんマイナスのパワーがたまるのです。

一緒になって言ってしまっているうちは問題外、まだまだ相手と同じようなレベルでしょう。

でも、「この人は会ってそうそう、なんで人の悪口ばっかり言うんだろう」と思ったとしても、それを口にする必要はありません。まして、改めさせよう気づかせようなんてことも、必要ないのです。単に、自分が影響を受けないようにしていればいいのです。

聞いているような聞いていないような心でいて、余計なマイナスのパワーを心の中に入れないことです。さらっと流せばいいのです。

人の悪口はよくないわ
大きなお世話

自分のマイナスになることはサラッと

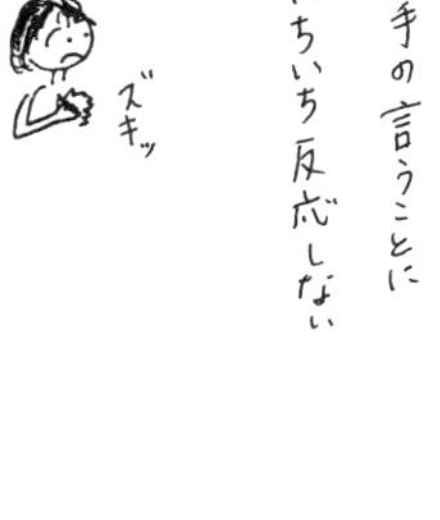
相手の言うことにいちいち反応しない
ズキッ

相手がなにかに怒っている時も同じです。

一緒になって考えてあげるのは良いことですが、引きずられて自分まで腹を立てることになればマイナスです。

そしてこの場合も、一緒に腹を立てているうちは同じレベルなんです。

レベルの上がった人が、低い人たちが腹を立てていることを見ると、どうしてあんなことで怒っているのかわからないでしょう。またはわかっていても、自分とは関係ない世界のこと、立ち入る気もない、というスタンスのはずです。

大人が子供のけんかを眺めているところを想像してみてください。

大人から見れば、どうして子供たちがケンカになって、誰がはじめに悪かったか丸見えです。「そんなことでもめて、しょうがないわねえ」と苦笑い気分です。

でも大人である自分たちがそこに割って入り、「○○が悪い!!」なんてやるつもりはありません。「いつか終わるだろう」と上から見ている傍観者《ぼうかん》です。

レベルが上の人たちと下の人たちとの関係は、これに似ています。

上からは、下のやっていることが丸見えなんです。

丸見えだから、腹も立たないのです。

一緒になって巻き込まれたり悩んでいるうちは、まだまだ相手と同じレベルということです。

相手のマイナスに引きずられれば、自分のレベルが下がることになります。

あなたが、相手よりもっともっとかけ離れるぐらい上のレベルになれば、大人と子供がけんかにならないように、嫌な人からも影響を受けなくなるのですが、今の時点で嫌な気持ちになるのであれば、離れたほうがいいと思います。

さらに言うと、自分のレベルが上がっていけば嫌だと思う人とは自然と会わずにすむようになるので、このような心配

はなくなるはずです。

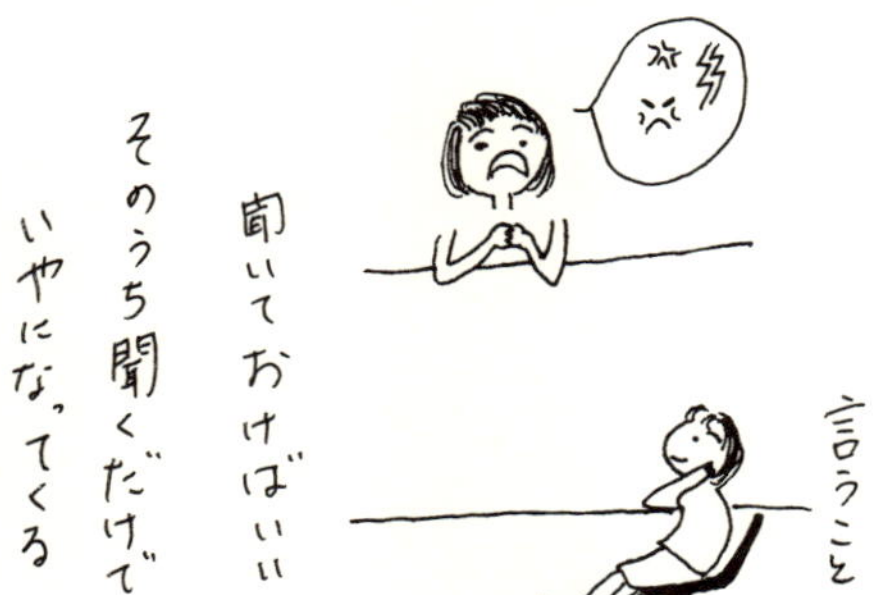
一緒になって
言うことない
聞いておけばいい
そのうち聞くだけでも
いやになってくる

苦手な人と上手につき合うコツを教えてください

自分の心の感じるままにいくべきなので、本音で苦手と思うなら、本当はつき合う必要はないのです。

相手の精神レベルに影響を受ける前にさっさと離れるべきです。

それでも職場が同じとか、毎日顔を合わせなくてはいけない人の場合もありますよね。

そういう時は、その人の悪い面は見ないことです。

その人の悪い面が気になってしょうがないということは、あなたも同じような面を持っているから気になるのです。

自分のまわりにいる人はみんな自分の鏡なので、バロメーターにしてください。

それに、あなたがその人を苦手、嫌いと思っていたとしても、それはあなただけの感じ方ですよね。

別の人にとってはそれほど嫌な人ではない…、自分の嫌いなあの人を、愛している人だっているんです。

本来、誰にでも必ずいいところがあるわけです。

片方の面から眺めれば、きっとそれが見えるでしょう。

でも、そこに目を向けて、その人を頑張って好きになろうとするなんて必要はなくて、その人の良い面とだけつき合えばいいんですよね。

誰にでもタイプの合わない苦手な人はいるはずなので、そういう人を減らそうとするよりも、自分が嫌な思いをしないようにつき合えばいいということです。

好きな面だけにスポットライトを
この部分だけでつき合おう

自分と100パーセント合う人というのはいないと思います。

それなのに、すべてのことで自分と同じように感じて同じようであってほしいと期待するから、そうでない時にがっかりするのです。

嫌な面は、はじめから見ないようにすればいいのです。

そうすれば、苦手な人ともスムーズにいくでしょう。

そして、その人の嫌な面に知らない間に巻き込まれてしまうという時は、相手のせいではありません。自分がその人と同じ精神レベルだからです。

精神レベルを上げれば、相手の良い面とだけつき合えて、その人の嫌な面の影響は受けないようになります。

その結果、誰とでもつき合えるようになってしまうので、嫌いな人が減っていくのです。

人を許すにはどうしたらいいですか？

本当は、相手のことを許したくても許せないほど腹立たしいことが起こってしまうのは、自分の精神レベルが低いんですよね。

レベルが上がってくると、「許さなくちゃ、許さなくちゃ」と頑張って思うようなことは起こらないようになるはずです。

でも、今の時点で「許さなくちゃ」と思うことがあるのであれば、「人を許せると自分のレベルが上がる」ととらえればいいと思います。

「人を許す」ということでつくられるプラスのパワーは、日常生活で良い行いをする、などから生まれるプラスのパワーとはくらべものにならないくらい大きなものです。

自分のまわりにあることは自分の鏡なので、その人を許すということは、結局は自分の悪いところを許してあげているということだからです。

こういうことができるとあっという間に精神レベルが上がって、前よりずっと早く運の良いことが起こるようになります。

極端な時など、その日のうちに効果が表れることもあるぐらいです。

これがわかると、「人を許すのも自分のためだ」とわかります。

自分の精神レベルを上げるビッグチャンスですよね。

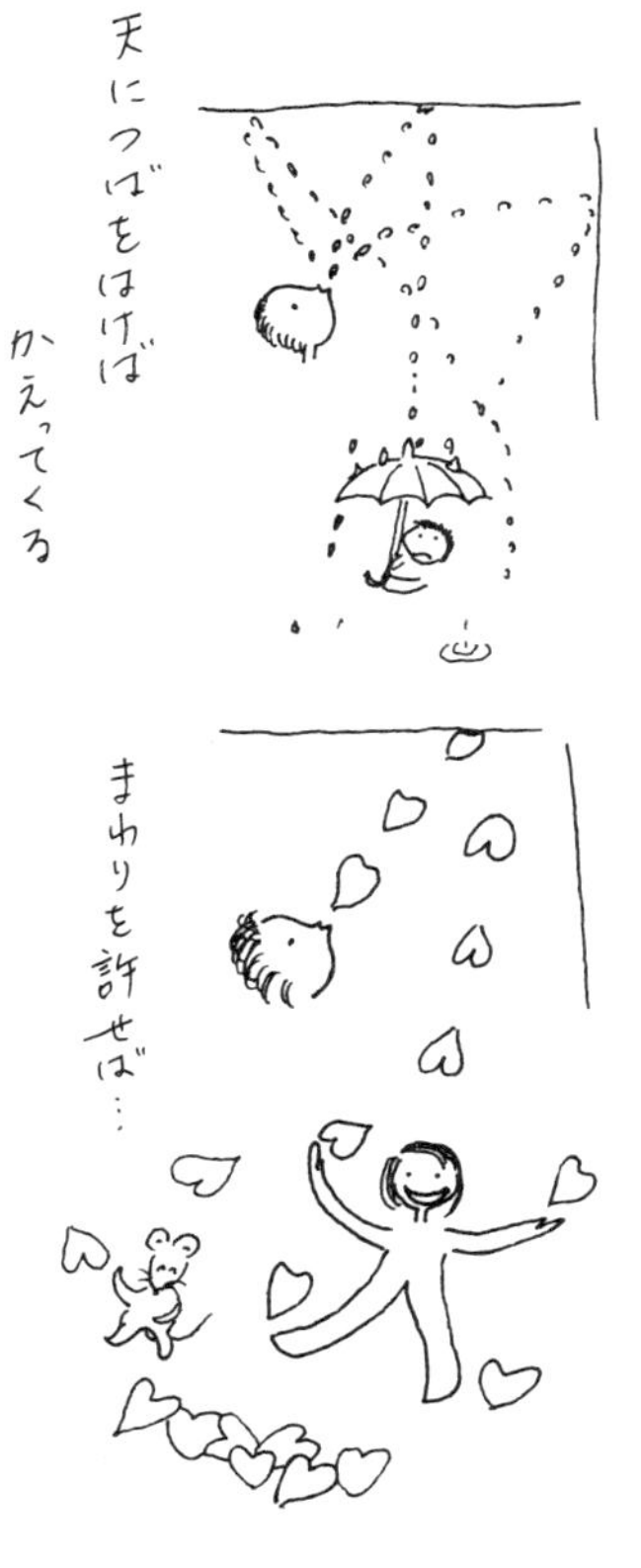
天につばをはけば
かえってくる
まわりを許せば…

毎日が単調でつまらないのはなぜですか？

原因は自分にあるはずです。

自分から「楽しい」と思えるようなことを探していないからです。

または、「楽しい」と思える受け皿が小さいからです。

同じことが起こっても「わあ〜い、楽しい」と思う人と、特になにも感じない人がいます。あの人が話すと同じことも面白く感じる、という人っていますよね。それと同じです。

結局は、その人がどんな受けとめ方をしているかで、楽しいかどうかを決めているのは自分なんですよね。

今現在の自分を楽しめている人は、これから先もどこへ行っても、また楽しめるはずです。

どんな環境になっても、その人はいつも同じ心の状態でものごとをとらえるからです。

このくり返しが、その人のまわりに楽しいことばかり起こっているように見せているのです。

同じことが起こった時に、それを楽しくウキウキととらえる人と、なんとも感じない人と、腹を立てる人がいて、この人たちがそれぞれ、いつも同じ心のスタンスで生活しているとすれば、起こったことは同じでも先の生活はぜんぜん違ったものになっていくと思いませんか?

そして、精神レベルの仕組みから考えても、いつもその人が思っていることはその人の思いの型となるので(59ページ)、明るく楽しく暮らしている人には、本当に楽しいことが引きつけられてくるようになるのです。

つまり、精神レベルがすごくかけ離れている場合は、低い人と高い人の生活の中で起こるものごとははっきり違ってきますが、はじめに起こっていることはほとんど同じなのです。

それをどのようにとらえたかで、精神レベルの高い流れになるかどうかが決まるのです。

まわりにいる楽しそうな人を観察してください。

必ず自分からも、なにか行動を起こしているはずです。

いつもまわりに誘ってもらえるように見える人は、その人本人からもまわりを誘っているはずです。

自分から見て「あの人のまわりにはいつも面白そうなことがあるな」と思う人も、結構、自分とそんなには変わらなかったりするのです。

みんなに祝ってもらえて
いいなあ
本人
企画したのはわたし
ということも　ある

そして、「単調な毎日」というのをありがたく思ったことはあるでしょうか。

交通事故、自然災害、命に関わるような困ったことがなにも起こらずにすんでいるということに、感謝しているでしょうか。

「単調な生活」というのは、「嫌なことも起こらない生活」です。命の心配もなく普通にしていられる、ありがたい生活です。

嫌なことは起こらない、そして楽しいことを起こすのは自分次第なんですから、「つまらない」なんて思う必要はありませんよね。

嫌なことが起こらないいつも通りの生活であったら、自分からアクションを起こして変化をつけるのは簡単なはずです。

考えすぎてしまって行動にうつせません、どうしたらいいですか？　引っ込み思案をなおすにはどうしたらいいですか？

どんなことも、自分の本音の通りにいくべきです。

「自分に素直に」だとか「心に正直に」と言われるのは、それが一番うまくいく方法だからです。

考えすぎて行動にうつせないと思うなら、考えるのをやめたほうがいいですよね。どんなに頭で考えても、精神レベルが低ければかなえられないので、同じレベルの時に「ああしたらいいか、こうするのは良くないか、こんなことを言ったらうまくいかないか」など考えても、結果は同じです。

心の本音で思うことは、思い立ったその時に行動したほうがいい（思い立つ時がタイミングなので）し、その人の精神レベルにふさわしいことであれば、考えなくてもうまくいくはずです。

「相手の迷惑になるかもしれないということを考えてしまって、引っ込み思案になる」という人もいますが、そう思うならなにもしないことです。

それでも行動したければする、自分はどちらが本音なのかよく考えることです。

知り合いが、仕事のことで、わたしの友人を紹介してほしいと思っていたことがありました。

結局その人は、「すごく親しいわけでもないのに、突然こんなことをお願いしたら失礼かもしれない」と思って、わたしに頼むのをやめたそうなのですが、わた

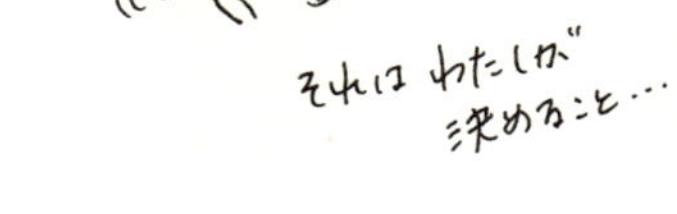

しはそれをあとで聞いて、「言ってくれれば、簡単なことだったのに…」と思いました。

それがわたしにとって無理なことだったらきちんと断るのですから、頼んだ先の相手の心配までしてあげる必要はないわけですよ。


こういう場合もあるわけですから、自分の頭で「迷惑かもしれない」と思う判断は、あくまで自分の判断で、相手にとっては大したことではないかもしれません。

それでも考えてしまうのは、「うまくいかせたい」と思うからですよね。

うまくいくもいかないも、すべては精神レベルによって決まってくるので、頭で考えても結果は同じであることに、早く気づくべきです。

たとえ本音で言って（行動して）うまくいかなくても、今の自分の精神レベルには、まだ分不相応な望みだっただけですから、「じゃあ、自分のレベルを上げよう」と思えばいいだけのことです。

「日常生活こそ、本番なんだ」――あとがきにかえて

心と意識のパワー、これは若い人にこそ知ってもらいたいことです。

これから先にある長い人生を楽しく過ごしてほしいと思うからです。

「こういう考え方もあるんだなあ」とたまに思い出す話ではなくて、こっちのほうがベースであること、目に見えることも見えないこともこれが基《もと》になって動いていること、当たり前のように実践してうまくいっている人がたくさんいるということに、はやく気づいたほうが楽だと思います。

たまに、このような話をつきつめてなにかの団体（世界的規模からグループ単位のものまで）に属してしまう人もいますが、これは自分ひとりでできることです。

そのような団体の中でためになるお話を聞きながら…というのは、むしろすごく簡単なことですよね。材料や道具やレシピのそろった台所で料理ができるようなものです。

人間らしいやっかいな問題が起こる日常生活でしてこそ、意味のあることだと思うのです。

日常生活こそが本番なんです。

いくらこの手の本を読んだり、そういう人の話を聞いて、その一瞬盛り上がったとしても、自分の生活で効果がなかったらもったいない、「宝の持ち腐れ」ですよね。料理の新しいレシピをならっても、日常生活でつくらなければ意味がないんですよね。わたしも社会人になって4年目、今こそ自分の精神レベルを上げて楽しく過ごしていきたいと思っています。

たくさんのアドバイスをくださりながら、かつ自由に書かせてくださった廣済堂出版編集者の伊藤岳人さん、本当にありがとうございました。

いろんな人とのめぐりあわせ、すべてのことに感謝。

2002　秋

浅見　帆帆子

著者へのお便りは、以下の宛先までお願いします。
〒101-0052　東京都千代田区神田小川町2-3-13 M&Cビル7F
株式会社廣済堂出版　編集部気付
浅見帆帆子　行

公式サイト
http://www.hohoko-style.com/
公式フェイスブック
http://facebook.com/hohokoasami/
まぐまぐ「浅見帆帆子の宇宙につながる話」
http://www.mag2.com/m/0001674671.html
アメーバ公式ブログ「あなたは絶対！運がいい」
https://ameblo.jp/hohoko-asami/

わかった！運がよくなるコツ
ウソだと思ったら、ためしてみよう

2002年10月30日　第1版第1刷
2018年 7月20日　第1版第43刷

著　者 —— 浅見帆帆子
発行者 —— 後藤高志
発行所 —— 株式会社廣済堂出版
〒101-0052 東京都千代田区神田小川町2-3-13　M&Cビル7F
電話03-6703-0964（編集）　03-6703-0962（販売）
Fax 03-6703-0963（販売）
振替00180-0-164137
http://www.kosaido-pub.co.jp
印刷・製本 —— 株式会社廣済堂

ブックデザイン —— 清原一隆（KIYO DESIGN）

ISBN978-4-331-50927-2 C0095